Love, Lust and Loss
Lanmou, Anvi, Pèdans

Poetry
Translation
&
Photography
by
Patrick Sylvain

Mémoire d'encrier

Books by Patrick Sylvain

Written in Haitian Creole

(Poetry/Pwezi)
Mazakwa : 1492-1992, 1992
Zanzèt, 1994
Butterfly Wings, 1994

(Play/Teyat)
Twokèt Lavi, 1994

(Short Story/Istwa Kout)
Maryaj Ide ak Imaginasyon, 1994

Love, Lust and Loss
Lanmou, Anvi, Pèdans

Conception graphique : Delphine Jaffres
Direction artistique : Étienne Bienvenu
Dépôt légal: juin 2005

Library and Archives Canada Cataloguing in Publication
Sylvain, Patrick, 1966-
Lanmou anvi pèdans - Love lust and loss
(Traduction ; 1)
Poems.
Text in Creole and English.
ISBN 2-923153-38-3
I. Title. II. Title: Love lust and loss. III. Series: Traduction (Montréal, Québec) ; 1.

PQ3949.2.S94L36 2005 841'.914 C2005-940849-9

Mémoire d'encrier
554, rue Bourgeoys, H3K 2M4
Montréal, Québec
Tél: (514) 989-1491
Téléc.: (514) 938-9217
info@memoiredencrier.com
www.memoiredencrier.com

Distribution

Québec/Canada
Diffusion Dimédia
539, boul. Lebeau
Saint-Laurent (Québec) H4N 1S2
general@dimedia.qc.ca
T: (514) 336-3941
F: (514) 331-3916

Antilles/Caraïbes
Librairie Alexandre
29, rue de la République
97200 Fort-de-France, Martinique
T. (0596) 714108 F. (0596) 631241

France/Europe
Ici & Ailleurs
11, route de Sainte-Anne
13640 La Roque d'Anthéron (France)
info@ventsdailleurs.com

Haïti
Communication Plus... Livres
B.P. 13205, Delmas, Haïti,
HT 6120
compulsa@yahoo.com

For my son, Kamil;
my mother, Bernadette;
my muse, Blue Rabbit;
my friends: Bindu, Soji and Tina;
my colleagues;
and in memory of my father, Georges.

To the Literary Masters
who have transported us to a new realm
with their witty characters and brilliant passages.

Table of Contents / Paj Nimerasyon

Acknowledgments

I wish to thank my friends and colleagues for lending their ears as well as encouraging me at various stages of this project. I am extremely grateful to have had the comments and/or words of support from the following individuals: Jalene T., Tina H., Yvon L., Jaïra P., Emeline M. and Maximilien L. A special thanks goes out to Jalene for her tenacious and countless inquiries throughout the making of this book.

Thank you to Maude, Bindu, Soji, Gavin, May, Rodney, Erol, Martine, Kenelle, Chaumtoli, Jacques, Elisabeth, Edwidge, Luanda, Jean-Dany, Ntozake and Blue Rabbit for their words of courage, strength and support. I would also like to express my gratitude to my mother, Bernadette, for her belief in my work.

Thank you to the William Joiner Center at UMASS/Boston for providing excellent workshops for upcoming writers. For three consecutive years in the mid-90's I was workshopped by Yusef Komunyakaa, Martin Espada, and Bruce Weigl. I also would like to thank Marie Howe who taught poetry at Tufts University.

This book would not have been possible without the pivotal support from certain individuals who believe in my work and wanted to see this particular manuscript materialize into a book. They are: Bindu, Soji, Kevin, Jaïra and Maude.

Mo sanba a sou pwosesis ekri ak tradiksyon an

Ki kote pou m' kòmanse? Kreyativman, 2003 se te yon ane difisil. Mwen pa-t' ka pwodui ni entèpele vwa entèn mwen pou l' vin konvèje, oubyen materyalize sou papye. Mwen te anfèmen nan yon etadam blokaj. Twoub pou ekri. Avan m' te fini avèk maniskri sa a, m' t'ap travay sou yon koleksyon pwezi sou jazz ki te sipoze fini depi ivè 2003; men, mwen te sèlman konplete l' epi voye l' nan mezon-edisyon pandan mwa septanm 2004 la. Ekrito m' te soufri akòz fatig emosyonèl, fatig travay, lòt demann ki te plase sou tan m' epi, lobedyans politik an Ayiti te vrèman matonnen nè m'. Mwen te abite nan yon eta dezolasyon kote m' pa-t' kapab rasanble diferan fragman kreyatif ki t'ap soperiye nan imajinasyon m'.

Pa chans, limyadò m' vin parèt tèt li, Lapen Ble, mwen rantre nan yon konsolasyon ki transfòme konplètman etadam mwen. La tou, mwen redirije fragman yo nan zòn imaje - yon zòn ki pèmèt antrelase tan, dyalòg ant pase avèk prezan, epi prezan avèk lavni. Nan yon sans, limyadò mwen tounen yon pwen dekleraj (potomitan manbre m').

Dènye fwa mwen te pwoduiktif konsa, se te ant 1993-1994 lè mwen te travèse yon eklatman kreyatif. Andepi yon orè ankonble ak lòt chanjman nan vi m', mwen santi m' lib, leje. Kòm rezilta, mwen debouche yon klète vizyon ki pèmèt mwen fokalize pandan m' mete yon gran anpwen nan dilijans mwen. Nan yon sans, limyadò m' retire m' nan pwòp obskirite m' pandan mwen rekòmanse ekri san laperèz. Mwen vin gen yon galopman ekrito otomatik epi espontane ki pat bride. Se te konsi yon moun t'ap chichote nan zòrèy mwen pandan l'ap pwochte imaj ki merite anrejistre. M' te vin antyoutyout pou m' te montre limyadò m' chak bouyon powèm.

Kwak se te limyadò m' ki eskòte klarite vizyon sa a nan chapantman liv lan, men ide a te pran nesans aprè yon lekti mwen te bay nan 7èm konferans anyèl etidyan Ayisyen yo te tabli nan Inivèsite Rutgers nan New Jersey. Repons elèv yo te vrèman vif; mwen te deside ekri yon liv sou lanmou. Pita, aprè mwen te verifye achiv powèm inedi, mwen reyalize potansyèl ki genyen nan kreye yon liv ki sentre plizyè aspè lanmou: Lanmou, anvi e pèdans. Triyo sa a fòme poto esansyèl tout relasyon en-

Author's Note on the Writing Process and Translation

Where to start? Creatively, 2003 (and to some extent, 2004) was a difficult year. Confined within a crippling state of writer's block, I was unable to produce or interpolate my inner voice and converge with it on paper. My writing had been suffering as a consequence of emotional and work-related stress, demands on my time and the Haitian political strife that hammered my nerves. I inhabited a state of desolation where I was unable to build upon the creative fragments that somersaulted in my imagination.

Eventually, with the arrival of my muse, Blue Rabbit, I entered a consolation of transformative tranquility that enabled me to guide those fragments into soothing and calm images -a place that allowed me to have spatial dialogue. The past could converse with the present and the present with future. In a sense, my muse became a translucent locus.

I had not been this productive since a creative burst that took place between 1993 and 1994. However, recently I have achieved a certain clarity of vision that keeps me focused while placing greater demands upon myself. Prior to finishing this project, I had been working on a jazz poetry manuscript that should have been completed during the winter of 2003, but had not been completed and submitted to publishers until September of 2004. In a sense, my muse removed me from my inner darkness as I began to re-establish writing without fear. Despite a busy teaching schedule and other pivotal changes in my life, I now feel free and unburdened. There has been a surge of unbridled automatism and spontaneity that has had an effect on me. It was as if someone literally whispered in my ears, and the flashing images had to be captured. I grew eager to share my drafts with my muse.

Although it was my muse that ushered in the clarity of vision in structuring the book, the idea of it was conceived after I had read at the 7th Annual Haitian Student Conference that was held at Rutgers University in New Jersey. The vivacious response of the students was so overwhelming that I decided to write a book on love. Later on, after consulting my archive of non-published and unedited work, I realized the potential in creating a book that deals with three aspects of love: love, lust tim ant moun. Se atravè poto sa yo mwen te sonde pwòp revenan pa m' pou m' ka rekonsilye avè yo pandan m'ap prepare yon teren rantab epi kòdyòm pou yon relasyon etènam.

Sou Tradiksyon

Tradiksyon, kenpòt direksyonalite lenguistik li, difisil. Ajoute sou sa, konpleksite pwezi prezante pwòp difikilte l'. Chans pou mwen, m' maton nan anglè ak nan kreyòl, anplis mwen ekri tèks orijinal nan chak lang. Sa pèmèt mwen gen yon fleksibilite nan fason mwen plonje nan pawoli ak nan parabòl kiltirèl yo, epitou pèmèt mwen jwenn anpil posibilite pou m' transpòte mizikalite ak metafò powèm yo.

M'ap tou pwofite aplodi travay Paul Laraque ak Jack Hirshman pou premye antoloji pwezi, *Open Gate*, ki an anglè ak an ayisyen yo redije pou Curbstone Press, 2001. Antoloji sa a montre enpòtans kreyatris Kreyòl ayisyen genyen nan zèv literè. Se Boadiba ak Jack Hirshman ki te fè majorite tradiksyon tèks yo. Konsatou, genyen nan tèks yo ki te tou tradui. Nan ka sa a, m' te fè pati ponyen moun sa yo ki ekri nan toulède lang yo.

Difikilte ki prezante nan tradui anglè an kreyòl parèt nan pwoblèm abondans ak resous anglè a genyen avèk dividal chwa mo sinonim. Trè souvan, mwen santi m' limite nan itilizasyon mo teknik yo, yon fason pou m' pa twò sonnen fransize.

Lanvè direksyonalite tradiksyon an vini ak pwòp pwoblem pa l' tou. Kreyòl ayisyen an se yon lang imaje, pafwa daki, men sitou kote metafò yo pran nesans nan lakilti oubyen nan lanati. Ki fè, tradiksyon kreyòl an anglè vin vrèman difisil si se pa enposib. Trè souvan, m'oblije fè apwoksimasyon metafò vize a yon fason pou m' ka kenbe sans, kadans ak imaj. Nan lòt ka, mwen senpman ankese kèk powèm ki parèt twò kase-tèt pou twadui.

Nan chak tradiksyon, mwen eseye rete nan paramèt powèm original lan, chans pou mwen, maniskri sa a gen prèske menm kantite powèm ki te ekri an Kreyòl konparativman ak sa ki te ekri an anglè. Entansyon nan tradui pwòp travay mwen, se pou m' te ka kenbe souplisite ak dousite langaj lan epi pou chak liy chante refren pa l' san li pa pèdi mizikalite and loss. This trio forms the quintessential pillars of all human intimate relations. It is through these pillars that I was able to summon my own ghosts to reconcile with them while preparing a healthier ground for a lasting romantic relationship.

On Translation

Translation, regardless of linguistic directionality, is hard. Adding to that difficulty is the complexity of poetry. Fortunately, my fluency in both English and Haitian Creole, along with the experience of having written original work in each individual lingua, gives me the flexibility to dapple into the cultural idiomatic possibilities in order to transport amorphous verses and metaphors.

Few works illustrate the creative importance of Haitian Creole in Haiti's literary tradition. Paul Laraque and Jack Hirschman's anthology of Haitian Creole Poetry, Open Gate, published by Curbstone Press in 2001, is the first anthology that provides English translations for poetry originally written in Haitian Creole. Boadiba and Jack Hirschman translated most of these poems with the exception of a few that were either written in English or translated by the author.

The difficulties in translating from English into Haitian Creole are due largely to the abundant choices of synonymous words that exist in English. Often times, when translating, I felt limited when using technical words by default, reluctant of sounding too French.

The inverse aspect of translation presents its own set of problems as well. Haitian Creole is a "nature-grounded" metaphorical language, which is laden with double entendres, making translation extremely difficult if not impossible. Quite often, I had to approximate the intended metaphor in order to maintain meaning, cadence and imagery. In other instances, I simply tossed sets of poems that proved to be too challenging for translation.

In each translation, I try to remain very close to the original poem, and fortunately in this manuscript, there are an equal number of poems initially written in English as there are in Haitian Creole. My intention in writing and translating my own work is to keep the language fresh so that each line can sing its tune without losing its musicality.

Nan plizyè powèm an kreyòl yo, mwen te oblije envante mo nan kontèks kiltirèl lang lan; menmlè mwen itilize prefiks grèk oswa laten avèk enfiks (rasin/nannan) epi sifiks kreyòl. Nan powèm "Prentan kontinyèl," nan sizyèm kouplè a, dènye liy, m' envante mo "abdlosyone" a, alòske an anglè mwen sèvi ak mo "abluted" la ki derive de mo Laten an ablutere oubyen abluere, e ki rapwoche ak mo fransè a, "ablution," ki vledi pirifye oubyen lave nan bi pou demalpwòpte. Akoz kontèks kiltirèl ak kadans powèm lan, mwen envante mo "abdlosyone" an ki gen menm siyifikasyon ak ablution. ("Ab" an Laten vle di jete, pouse, retire epi "luere" siyifi lave, oubyen pirifye nan lave.) Mwen ranplase "lutere" avèk "dlo" epi mwen adisyone "syone" tankou nan losyon oubyen "tion" an fransè, pou m' ka kapte imaj osnon zak pirifikatif lan nan yon fòm de librikasyon.

Nan vèsyon anglè powèm "Wa Gouyadè / Gyrating King" a, mwen envante yon mo marasa "spermato-rain" yon fason pou m' te ka rete fidèl avèk ide e imaj powèm lan. Mwne chwazi kreye yon mo ki fonn "dechay /sperm" ak "lapli /rain" paske metaforikman, si ou vle, yo gen menm rezon-ekzistans. Lapli se yon fòs vital pou lavi, san li latè t'ap gen yon ekzistans sechrès, sèk. Menmjan tou, dechay oubyen espèmatozoyid ede nan ranplisaj tè a avèk vi. Toulède esansyèl nan kontinyasyon moun.

Kwak ekriven gen libète powetik yo, mwen eseye respekte nòm kiltirèl yo ansanm ak règleman langaj pandan m'ap kreye chak nouvo mo.

Desanm 2004

In some of the Haitian text, I invented words within the cultural context by using Greek or Latin prefixes fused with Creole roots and suffixes. In the poem "Continuous Spring," in the sixth couplet, last line, I used the words "abluted our soil" in lieu of using purifying or up turning. Although not an everyday word in English, it can be easily referenced. However, in Haitian Creole, one would have to use the French word ablution, a derivative of the Latin word Ablutere or Abluere. Given the cultural context and the cadence of the poem, I invented a word, "abdlosyone", which means to cleanse or to purify. ("Ab" in Latin means away and "lutere" means to wash, to cleanse by washing). I substituted "luere" with "dlo", meaning "water", added "syone", as in "losyon" in Kreyòl or "tion" in French, to capture the image or the act of purifying through a form of lubrication.

In the poem "Gyrating King", (English version), I invented the word "spermato-rain" in order to remain consistent with the idea of the poem as well as capture its imagery. I chose to create a word that fuses sperm and rain because metaphorically speaking they share a common purpose. Rain is the sustainer of life without which the earth would maintain a barren existence. Likewise, sperm replenishes the earth with lives. Both are essential to the continuation of humankind.

Although writers do have the poetic license, I tried to respect the norms of culture as well as the rules of language while creating each new word.

December2004

Sou lanmou

Avan mwen retounen nan nwasite matris latè, mwen ta renmen ofri tèt mwen kòm yon angaje pou lanmou. Paske lanmou se sèl limyè etènèlman varyab e primòdyal ki nan tout nanm.

On Love

Before I return into the bowel of the dark earth, I want to offer myself in serfdom to love. For love is the constantly fluctuating and primordial light in all souls.

I

Love
Lanmou

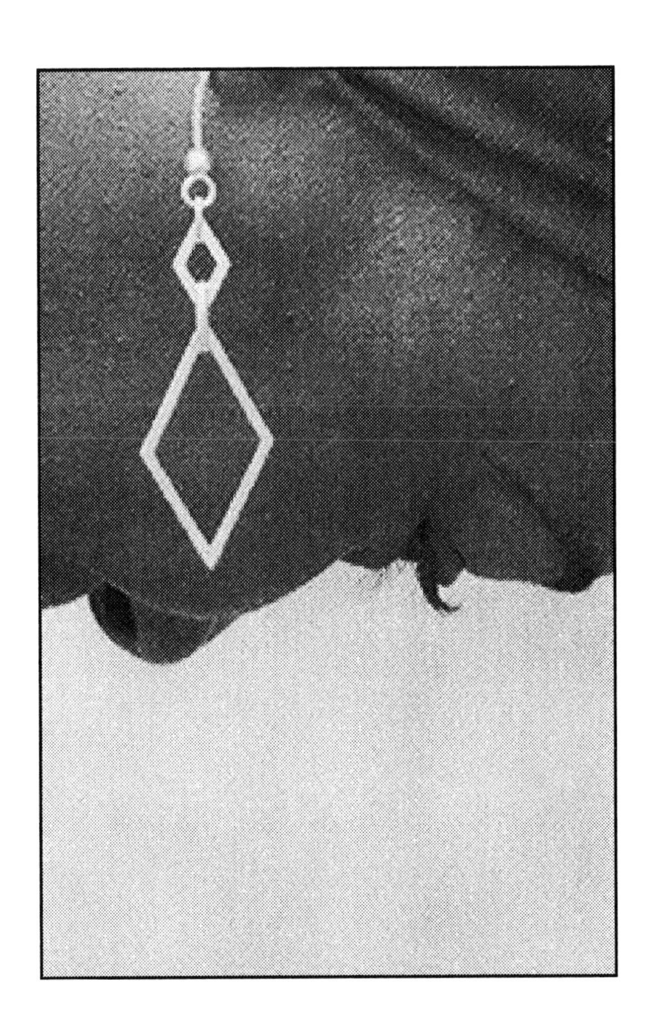

Abitid limyè

M'ap ekri paj lavi m'
Pa gen ni papye ni plim
Pou m' enprime ide m'.
Nan memwa m', sèlman lank
Nwa k'ap koule.
Silwèt grave sou ekritwa m'
Lavi m' an revizyon,
Chak souf
Merite yon koudèy.
Sèvo eseye pou l' pa kase
Yon grenn liy
Men abitid limyè
Se jete lombraj sou ledè.
Kounyen an, genyen griyaj
K'ap gide cheminman istwa m'.

Tr. 26 novanm 2004

Habits of Light

I'm writing my life's page.
There is neither paper nor pen
To imprint thoughts
Just black ink
Dripping from memories.
Silhouettes etched across my writing desk
My life is in revision
And each breath taken is worth
Puzzling over.
My mind tries not to break
A single line
But habits of light
Shadow ugliness.
Now, there are grids
Guiding my story line.

November 26, 2004

Dyaman kreyòl

Yèreswa, mwen keyi yon zetwal
Nan zye ou epi m' mete l' sou kò m'
Pou m' klewonnen chemen lanmou.
Siwomyèl koule.

Marabou minui, zye pistach kale
Klere menmjan ak lalin
Fè zyedou pou mwen
Pou m' kenbe espwa sou kò m'.

Dan solèy frechè, souri
Ban mwen pou fè n' wè bote
Peyi n' sou miray dan ou.

Marabou, cheri, mwen renmen pran sant
Cheve ou ki grese ak kokoye,
Si dous, si ole, m'anvi
Fè dwèt mwen naje jouk nan rasin.

Bote kreyòl, pale kreyòl,
Mache kreyòl pou m' gade ou k'ap defile
Ak yon tanbou Ibo k'ap bat sou ren ou.

Mwen renmen ou mil fwa pase siwèl
Pale kreyòl, fè lang ou vire
Nan plafon bouch ou,
Fè m' tande banbou wonfle nan gòj ou.

Fè zòrèy mwen tresayi
Chak fwa ou di: "mwen renmen ou."
Pale kreyòl pou m' goute wowoli.

Diamond Creole

Last night, I unhooked a star
From your eyes, I wore it
To brighten love's roads.
Honey flowed.

Midnight lover with dark and silky skin,
Moonlit almond-shaped eyes,
Wink, make your eyes talk
So my body can fill with hope.

Smile your tropical smile
Let me see our country's beauty
Reflecting on your pearls.

Dark and silky, honey, I love to
Smell your hair bathed in coconut oil
So sweet, so smooth, I want to
Plunge my fingers to the roots.

Creole beauty, speak Creole
Walk your Creole walk so I can
Watch you stroll with Ibo beat
On your hips.

I love you a thousand times more than *siwèl*
Speak our language, make your tongue turn
Inside the palate of your mouth- let me hear
Your throat hum like a swaying bamboo.

Make my ears shiver
Each time you say: "I love you."
Speak Creole, I want to taste sesame brittle.

Pale kreyòl pou m' ka admire ou
Tankou zwa k'ap trase pa,
Pale kreyòl pou m' wè lang k'ap soperiye mo.

Dyaman kreyòl,
Fè lanmou avè m'
An kreyòl
Pou m' monte sou pye kachiman
Badichonnen m' ak po ou
Ki gen sant mango fil.

Woule m' nan sik kreyòl bouch ou
Pou m' pèdi lespri
Di m' mo dous lòt lang pa ka imite,
Woule m' nan bouch ou
Tankou yon ren k'ap brase.
Pale avè m' menmjan tanbou bat nan kè ou,
Fè zye ou fè m' danse mayi,
Kè m' ponpe yanvalou,
Ren m' taye banda,
Fè pye m' trase kongo.

An nou mete n' menmjan nou te ye
Lè nou te di lavi bonjou
Pou n' fè lanmou an kreyòl
Jiskaske chalè twopikal kò n'
Brile zye lanvè k'ap twaze n'
Dèyè fenèt atifisyèl.

An nou kontinye damou an kreyòl.

Desanm 1993 (Premye parèt nan *Zansèt*, 1994).

Speak Creole and let me watch you
Unfold like a trotting peacock-
Speak Creole so silent tongues can frog-leap
Into your volley of words.

Make love to me
In Creole
I'll climb a custard apple tree
Smearing your mango scented
Skin all over my body.

Stirring in your sweet Creole mouth
I lose my mind.
Tell me passionate words other languages
Cannot imitate
Stir me in your mouth
Like a frenzied hip.
Talk to me like drums beating in your heart
Your eyes making me dance Mayi,
My heart jumps to Yanvalou,
Hips thrusting to Banda,
Feet stepping Congo.

Let us be in our birth state
The way we greeted life
Indulging in Creole love making
Until the tropical heat of our bodies
Burn averted eyes staring down in disgust
Behind their pretentious windows.

Let us continue loving in Creole.

Tr. December 1995 (1st Published in *Zansèt*, 1994)

Mamour : lanmou, pèt e memwa

Pou Marcel e Paul Laraque

Se ou ki te powèm e pwoz mwem
Avèk kouplè e zès pou lavi
Nou travèse doulè nan plantasyon ekzil
Se sèl woz fanmte ou ki te nouri m'.
Oumenm, konpayòn mwen, konpa m',
Transmisyon m' ak enspirasyon mwen.

Se ou ki te soulajman peyi delabre n'
Lanmou ou akoste m' nan pwezi e pwezi m'
Bati liy ki chouke nan silabè kas-tèt peyi Dayiti.
Nan ekzil, blese, w'ap priye, m'ap feyite Marx,
Nou reveye ak menm rèv la. Yon Ayiti miyò.
Mamour, nou deplase lombraj, nou anbrase zetwal.

Se ou ki te powèm e pwoz mwem,
Avan oumenm, anvi fè libètinaj pat gen bout.
Rega manyetik ak asirans bouch ou kanpe sòlda mawon m'.
Mwen tounen yon ouslanmè k'ap adore solèy.
Men, se te entèlijans ou, serenite ou ak konfyans
Kòde nan yon pasyon endoutab ki gadavou sòlda m'.

Mamour, se ou ki te powèm e pwoz mwem,
Depi latè retounen ou an pousyè,
M' souvan konsidere depeyize m',
Kounyen an ekzil lavi m' gradoub e defleri.
Avèk rezèv tan ki rete m' sou latè, m' powetize ou
Bay lemonn pou m' plante ou nan fondasyon m'.

Mamour: Love, Loss and Memory

For Marcel and Paul Laraque

You were my poetry and my prose.
With verse and your zest for life,
We traversed pain in exile's plantations
Only to be nursed by the bushel of roses
That you once were. You, my companion,
My compass, my gearbox & my muse.

You were the respite from our country of tumult,
Your love anchored me to poetry and my poetry
Grew lines into Haiti's complex syllables.
In Exile, wounded, you praying, me flipping Marx,
We awakened with the same dream. A better Haiti.
Mamour, we've moved shadows and hugged stars.

You were my poetry and my prose.
Before you, my desire to saunter knew no end.
Your magnetic gaze and peaceful lips bunkered
Me to your shore like a sea lion enamored with the sun.
But it was your wits, your serenity, and your confidence
Meshed with abysmal passion that bonded my soldiering.

Mamour, you were my poetry and my prose,
And since earth took back your breath
I've often considered halting my steps,
For exile is now flowerless and coarse.
With the breath I have left, I've heralded
You to the world as a way to sustain you in my core.

Se ou ki te soulajman peyi delabre n',
Anplis tout bèl memwa, gen foto chaman ou
Pou konble vid mwen. Tankou sa ki te pran pandan
Ou chita agòch dèyè machin lan, yon reyon solèy ap bwose jou ou.
Elegan, poze, lisid, amitye ou toujou konpa m'.
Mamour, ou se reyon lanmou grave sou lestomak fatig mwen.

Tr. 17 avril, 2004

You were the respite from our country of tumult,
And besides amiable memories, there are graceful
Images of you to fill my emptiness. Like the one taken
In the back seat with the sun brushing your cheek.
Elegant, poised, lucid, your amity is still my compass.
Mamour, you are love's rays etched on my tired torso.

April 17, 2004

Fofilman

Pou Alee

Lè nou te fèk rankontre, ou t'ap sèvi nan yon restoran tokay,
Cheve ou kwafe an chou. Nan yon pyès sonm, yon bag fiyansay
T'ap briye nan dwèt ou kote yon twoubadou blues
T'ap chante "Moustang Sally". Lè ou pwoche tab la,
M' wè yon pwen-entèwogasyon nan zye ou. Mwen te etone.
Avan m' te plase kòmand mwen, bèlte souri ou te gepe m';
Rafinman liy bouch ou te gen fòm yon ka-lalin.

Kèlke mwa pita, sanzatann, pami yon foul moun nan Cambridge
Figi ou kouwone plas lan avèk yon kaskadman cheve boukle.
Fwon bonbe, zo-machwè lejèman alonje, pwofil vizaj
Abesinyen ou grave nan memwa m', menmsi m' pat ka sonje
Kote nou te kontre. Nou re-salye lòt avèk konplisite.
M' voye yon koudèy sou dwèt anilè ou, la, nan dwèt goch la,
Kat wòch dyaman santinèl. Nou bay lanmen amikalman.

M' te jire barikade lanmou m'. Anplis, ekla bote ou ak dyaman
Santinèl yo pat ebranle m'. Mwen retire kò m' san enkyetid,
Konnen lavni chaje ak ensètitid. Nou vin tounen konfidan
Youn-lòt. Fleksibilite amitye n' satiyèt joudasite jèn-moun
Ki wè n' kòm leman, jèn-moun ki pa menm konn anatomi kò yo
Oubyen istwa Larenesans, rive dekode langaj òmonal ki reflekte
Nan zye granmoun ak nan kòkòday kadans kò n'.

Kounyen an, nou se wuiso k'ap fofile pou jwenn yon bon rivyè.
Kwak yon pati nan rivaj ou gentan salopete ak abime;
Ou fè m' konnen derivasyon sous ou toujou pwòp.
Alòske pa m' lan, chaje ak bwa-konble epi bwousay.

Meandering

For Alec

I first saw you waiting tables in a soul food joint,
Hair tightly pulled in a bun and an engagement ring
Sparkling in the dim-lit room where a blues man sang
"Mustang Sally." When you turned to our table, I noticed
An abbreviated shimmering light in your eyes. I pondered.
Before ordering, you smiled and I was stunned by the soft
Slender lines of your lips forming quarter moons.

Months later, unexpected, as I approached a Cambridge crowd,
Your face crowned the place with a full body of tumbling curls.
Your arched forehead, the slight elongated and gentle Abyssinian
Features engraved in my mind, but I was unable to recollect
Our encounter. We said hello again with a moderate complicity.
I glanced down your petite fingers and there, in the left hand,
Four stones stood guard. We shook hands with pleasantries.

Sequestered from active romance, I shrugged off your radiance
And the diamond sentinels. I withdrew from you with certain
Steps, but to uncertain ends. We became each other's confidant.
Through our fluid camaraderie even prying teens viewed us as flames.
Children Ignorant of their internal anatomy or the Renaissance,
Captured the language of hormones that are reflected
On adults' gaze and the harmony of penchant bodies.

Now, we are meandering rivulets in search of a safe body.
Although parts of your shore are already sullied and neglected;
You say, that the spring from which you flow is still pristine.
Whereas mine, is filled with underbrush and weeds.

Nan langaj kontantman n', pi douvan, nan yon lòt rigòl,
Ak espwa, wuiso n' ka kontre, file anwo yon preri imakile
Epi navige jouk nou bouti nan yon rivyè.

19 avril 2004

In our own complacent language, up ahead, the next path,
Is implied where our streams could merge through pristine meadows
And navigate our way through riverbed.

April 19, 2004

Yon moman refleksyon

Limyè lalin mwa dawout nan Cape Cod
Akonpaye m' nan pwomnad solitè m'
Ki mande poze yon kè chevalye ki fatige.
Vag lanmè yo dewoule youn aprè lòt
Nan yon resital ki chichote laperèz.

Pye mouye, san poze mwen deboukle
Sandal an kui mawonnat mwen yo,
Sab dous e tanpere satiyèt pla pye m'.
Mwen frennen mach mwen pou m' admire
Zetwal yo k'ap briyonnen.

Ki limyè mwen diminye nan kè m'?
Mwen santi m' lou nan yon sakit koupab.
Mwen konnen lajenès pa pèmanan,
Menm goyelan ki akwobatik e san perèz
Sipoze bat zèl yo epi tonbe mouri arebò lanmè.

Nan nwasite lanmè, kèk limyè vasiye
Pandan kim blanch vag yo vin mouri bò pye m'.
M' pwomennen ak zye m' fikse sou fimaman an,
Mwen pile zèb-lanmè ak kokiyaj fele.
Zetwal yo doleyanse angwas mwen an silans.

Tr. Septanm 2004

Reflecting on the Cape

August moonlight on the cape
And solitary stroll to poise
A gallivanting and fatigued heart.
The unfurling waves dispersed
Their recitals and murmured fear.

Damped feet, I briskly removed
Strapped brown leather sandals,
Warm sand elated my sole.
I halted my steps to marvel
At the scintillating stars.

What light have I dimmed in my heart?
I felt sluggish with flickering guilt.
I am cognizant that prime is not eternal,
And the fearless and aerobatic seagulls
Must flap and die at the ocean's edge.

Tiny lights vacillated on the dark sea
As white foamed waves crawled near my feet.
Strolling with fixating eyes on the firmament,
I stepped on seaweed and cracked shells.
The stars grieved my anguish in silence.

April 20, 2004

Relimen chalè

Pou Blue Rabbit

Soufriman ki sòti nan ivè kòryas
Pote yon pensèt lanmou kachotri.
Zèklè konsantman tenyen nan zye n',
Fòse n' devwale sa kè n' t'ap chante.

Lè sezon ivè kòmanse fonn nan prentan
Menm nanm trakase n' kòmanse
Demantle pikèt glas ki miwasifye grif
Ki te klotire angajman endividyèl nou.

Chimerit nan pwòp kounouk nou,
Nou plezire fantasm sou lòt,
Epi nou ekspoze rèv zanmitay nou
Ki pentire yon avni siwolin.

Prentan kòmanse avèk yon chichotman.
Dividal pipirit ak kèk zwazo siyanoz
Konble yon pye cheriz-lorye k'ap fleri
Dèyè yon fenèt ki kouwone kuizin mwen.

Yon kouch limyè anbre bwose figi ou
Pandan w'ap koupe an myèt yon somon
Atlantik ki toufe nan yon sòs zoranj-vèni.
Espri kay la onore prezans ou.

Lè bouch nou finalman pran gou lòt,
N'antre nan yon lòt faz laperèz, nou konnen
Lanmou grangou pa ka ret twò lontan ap baye.
Anvi derefize brid, pasyon n' san limit.

Warmth Rekindled

For Blue Rabbit

Small clamor from a biting winter
Brought silent infatuations. Our eyes
Specked with abiding glee, forcing us
To unfurl what our hearts were cooing.

As winter and spring dovetailed,
Our disenchanted souls began to defrost
The icicles like fangs planted around
Our individual commitments.

Miserable in our own corners,
We fantasized about each other
And divulged declarative dreams
Where our presence seemed evergreen.

Then, spring started with a whisper.
Finches and occasional blue jays
Festooned the blooming cherry-blossoms
Crowning my solitary kitchen window.

A soft amber sunlight brushed your face
As you knifed baked orange-glazed
Atlantic salmon into small chunks.
The house honored your presence.

As our anxious lips warmly entwined,
We entered a new depth of fear knowing
That we were rekindling dormant love
And our borderless passion must not be yoked.

Nan kòmansman, rechofman prive n' te annuiyan,
Men difè nou vle youn pou lòt, nou senpleman
Ap rettann fen galopman soufrans. Petèt nou monte
Mòn-gravwa pou pye n' ka repoze sou sab dous.

Tr. 19 avril 2004

At first, our private recalescence brought tension,
But knowing we belong, we simply pondered
Life's exertion. Perhaps we've climbed
Rocky paths so feet can sing the warmth of sands.

September 6, 2004

Chemen an

Pou Lapen Ble

Doulè ranpe nan kavite kè ou,
mo pa ka depase papòt babyeman
Angwas ou, pwezi eseye dekode frèlte
Zye ou ki fondre.

Akwak souri abityèlman amikab ou,
Nwaj sonb figi ou pwochte yon tanpèt.
Pandan w'ap repete pawòl tafya l',
Siyon zye ou pote gwosès kriye.

Chemen divòs toujou anwo mòn,
Chouk bwa ak wòch-kilbit inevitab.
Mwen pèdi grès emosyonèl nan wout pa m',
E bous mwen te kankannen nan pwosè.

Menmjan avè ou, m' te aladetrès.
Menm mo, pwòch konpayon m', chape m'.
Lè melankoli soupye epi langaj pran klekou,
Gerizon tounen yon metwonòm dòmyadò.

Tr. 4 septanm 2004

The Road

For Blue Rabbit

Hurt deeply creeps into the heart's crevices
Words cannot move beyond the basic
Babble of agony. Poetry tries to decode
The frailty from your sunken eyes.

Despite the ordinary smile of warmth,
The clouds on your face depict a concealed
Storm. As you mouthed his drunken words,
Tearlets formed at your eyes' rims.

On divorce's road, potholes
And falling rocks are inevitable.
I lost emotional kilograms on my road,
And my wallet was baked through proceedings.

Just like you, I became skeptical and numb.
Even words, my close companion, eluded me.
When blues are profound and language hackneyed,
Healing becomes a quiet metronome.

September 4, 2004

Pon afektif

Mwen ka renmen ou, fanm,
Si m' dwe renmen tèt mwen, gason.
Nan glòb sa a ki charye lavi,
Nou se planèt youn lòt
K'ap fè òbit kontinyèl
Vè direksyon pon afektif lan.

Nou pap janm byen santre
Paske nou se leman, e pafwa fòs gravite
lavi n' tounen esans tansyon n'.
Yon tire annuiyan nan manch
Oubyen yon michan bourad arebò falèz.
Kanmenm, nou briyole vè rasin lavi.

Nou se latè : ansante, kòdyòm,
Fonse, mawon oubyen wouj, vitalite koulè
Nan noumenm, men se ou ki oseyan
Ak rivyè epi tchovi n' naje nan ou
Pou l' ka pwopilse vè pon afektif lan.

Nou se sous youn lòt,
E menmlè pikan pafwa pike
Lapè n' e nèvwozite n' pyafe
M'ap toujou vin fredone devan petal ou.
Prentan se kouwònman lavi.

Tr. 28 mas 2004

Axle of Affection

I can love you, woman,
If I can love me, man.
In this globe sustaining life,
We are each other's planet
Continuously orbiting
Toward the axle of affection.

We will never be perfectly centered
For we are both magnets and in our life force
Gravity is at times the essence of tension,
The nagging tug at the seams
Or the furious push to the rim.
Still, we gravitate toward life's axle.

We are earth: healthy, coarse,
Dark, brown, or red, vitality flows
Through us, but you are ocean
And river, and offspring swims
From you to pulsate
Toward the axle of affection.

We are each other's spring,
And although thorns may at times
Prick our peace and surge tempers
I will still hum toward your petal
For spring is the coronation of life.

March 28, 2004

Boujonnman lotus

Pou Marvin ak Chaumtoli

Kèk jou avan maryaj ou,
Yon paj blanch ret ap gade m'
M' t'ap tann yon bon kòmansman, bonjan pawoli.
Briskeman, mwen sonje Marvin, yon maratonnyen,
Ki te mennen ou nan yon pak, bò yon ban izole e li di :
"Se la a mwen te vle devwale lanmou m' epi ofri l' ba ou
tankou yon nouvo nesans."

Wi, nesans, kòmansman, konesans
Ki fè kè bat. Mo kontantman Chaumtoli
Se te tankou yon rivaj ki t'ap tann bon vag.
Yon kontantman-prekosyone anpare m',
Esperan lanmou sa a pap yon van cho.

Kèlke mwa pita, m' tounen yon enspektè dilijan,
M' sezi opòtinite a pou m' kesyone Marvin.
M' fouye, m' enifle, m' dige epi m' annuiye. Anyen!
Kalm pase yon wuiso, prezans li monkal
Epi rega li sensè, andepi istwa renka m',
Li sezi konfyans mwen san konfyolo.
Zansèt pa yo te bay lanmen pou lanmou sa a,
M' t'ap senpleman rettann anons pou sonnen
Klòch inyon sa a.

Lanmou, avèk zye solèy li
T'ap klewonnen chemen ou.
Ou pa nan mitan kalfou ankò,
Al byen dodomeya sou rivaj lòt,

Lotus Blossom

For Chaumtoli and Marvin

Days before your wedding,
I pondered on the blank page
Hoping for the right beginning, the right words.
Then, I remembered Marvin, a marathon runner,
Took you to a park, pointed to an isolated bench and said:
"It's here I want to unwrap my love and offer it to you
Like a nascent child."

Yes, nascent, the beginning, the acquaintance
Of the hearts. Your blissful words
Were waves crashing upon a long awaited shore.
I became happily-cautious, hoping
This love will not be a warm but fleeting breeze.

A few months later, like a diligent inspector,
I seized the moment of meeting Marvin.
I gawked, sniffed, poked, and teased. Nothing!
Gentle as a brook, his Monk-like presence
And sincere gaze stamped his warmth
Into my ordinarily precautious being;
I knew your ancestors had joined hands
And it would simply be months before witnessing
Your public vow.

Love with its glimmering eyes
Has brightened your roads.
No longer at a crossroads,
You've merged gently in each other's shore

Kote lanmou ou chita tankou yon lotus.
Vire-tounen lòlòj tan nan lòlòj lanmou,
Menmlè nou pa nan rapadou-siwo,
Oubyen planche marital nou pran vibre,
Dekwoke ankadreman sèman n' ak premye gou kriye n'
Sonje jan youn te ebranle lòt.
Sonje akolad sere nou te resevwa
Lè nou te kouwone lanmou n' an pèmanans.
M' swete wayòm lanmou n' ap pèsevere
Pandan tout tan nou rete isiba,
Epi tout lòt moman pral tounen boujonnman yon lotus
Nan jaden nanm nou.

Tr. 21 jiyè 2002

Where love sits like a lotus.
Transform each hour into an hour of love,
Even when you are not tongue to cheek,
And your marital ground feels erratic,
Remember your vows, the first tears of joy,
And the clasps of your embraces.
How you pleasantly shook each other's core,
When you offered love as your permanent crown.
May your love's kingdom persevere
Through your remaining time
And hours become like a lotus blossoming
In the garden of your souls.

NY, July 21, 2002

Yon syèl miyò

Nan syèl sonm
Mwen kouri dèyè zanj;
Ak yon men selibatè,
M' eseye ranmase òkide
Pou m' pafimen cheve ou,
Men yon tanpèt grèl tabase zye m'.
Atravè gonfleman an,
M' ka toujou wè yon pensèt limyè.
Ak feblès, m' wè yon men
K'ap eseye soulaje enflamasyon an.
Vini doudou,
Se sèl touche ou ki ka dezanflame zye m',
Retire fè fòje a ki griyade lanmou n'
Pou l' ka soleye.
Nan ivè mòde zo sa a,
Mwen pa ta renmen tounen yon sous rezèv
Pandan yon jadinye avèg ap pran swen jaden ou.
M'ap rettann nan tanpèt sa a pou yon bout tan
Men si zye m' geri poukont li
M'ap redirije sous mwen
Retire pikan madoulè yo nan kè m'
Epi taye banda anba yon syèl miyò.

Tr. 26 desanm 2002

A Brighter Sky

I've sought after angels
In bleak skies
My lonesome hands reached
For orchards to fragrance your hair
But hail stormed my eyes.
Through contusions,
I can see a sliver of light
A distant hand
Ready to remove the sore spots.
Come lover,
Only your touch can remove the blisters
And the steel girder
That grids our love from shining.
In this harsh winter,
I do not wish to be a waiting spring
While your garden is being tendered
By a blind gardener.
I will wait here in this storm a bit longer,
But if my eyes self-heal,
I will take spring by the hand,
Remove thorns from my heart
And dance under a brighter sky.

December 26, 2002

Gou sale kriye

Nan douvanjou, yon tanbou sonnen batman
Latè, m' te panse se te eksitasyon kè ou.

Nan douvannuit, ren m' anvi brase pou l' imite
Kadans chwalbwa k'ap griji chalè kwazman.

Zye m' ansòsele pandan kè m' ap ankese nòt
Nan gwòt malsite lanmou. M' kriye an silans.

Pou ka moun, ou blije goute kriye.
M' pral nan lanmè pou m' plenyen ak labalèn.

Tr. 2 janvye 2003

Salty Tears

At dawn, a drum beats earth's pulse;
I thought it was your laughing heart.

At dusk, my gyrating hips longed to echo
Your rhythm as grasshoppers sang mating songs.

My eyes are under a spell as my heart cadences
Full notes of deep-love-pain. I cry in silence.

To be human is to taste salty tears;
I'm going to the sea to moan my love with the whales.

January 2, 2003

Zwazo siyanoz (ble)

Lè ou pran kriye nan mitan lannuit
Lapli toufounen rasinman tanbou m'
Epi mwen wè zèb sovaj k'ap grenpe
Nan fetay salon m' menmjan cheve
Jèn fi flote nan gran basen dlo.
Lè ou pran kriye nan mitan lannuit
Vapè sifoke respirasyon m'
Gen yon anvi kajole ki sele m',
M' ta rennen tounen sovtaj maren ou
Nan tout sezon
Pou kontantman vin sansès
Epi pou papiyon jenès ou
Ka bat zèl akansyèl li
Pou jèn fi ak rad koton blan an ki kanpe arebò larivyè
Ka ranpli kannari dlo l' ak kè kontan.
Lè ou pran kriye nan mitan lannuit
Mwen ta renmen tounen yon zwazo siyanoz
K'ap ede ou rekòlte yon bèl prentan
Pou vin dodomeya nan zye ou.

Tr. 2 janvye 2003

Your Blue Jay

When you cry at twilight,
The rain muffles my internal drum
And I see black grass creeping
Into my living space the way young girls'
Hair floats on clear water.
When you cry at twilight,
Mist stifles my breath.
I want to hold you,
Be your buoy in all seasons
So that laughter can be incessant,
And the butterflies of your youth
Can flap their rainbow-wings.
And the young girl in a long white cotton dress
Standing by the river bank
Can fill her water jar with bliss.
When you cry at twilight,
I want to be the blue jay
That helps in bringing
An enduring spring to your eyes.

January 2, 2003

Kontanplasyon

Lè reyon limyè lalin wondi briye
Lejèman atravè yon pèsyèn
Epi li briyote yon bò figi ou
Avèk yon ti kouch penso limine,
Kè m' lage yon ti kriye renka,
Kòmsi m' pè depafini yon bon rèv.
Kwak avè ou, yon bandjo pran graje
Yon pataswèl serenad nan mitan n',
Epi m' santi yon solitid rasi,
Yon fatig espasyal,
Paske tan avè ou se yon pòtay
Kontanplasyon.
Si m' te ka woulawoup rèv sa a
Epi frennen òlòj lavi
pou l' pa krabinen bèl kòkòday nou.
Avèk reyon limyè lalin
k'ap bwose figi ou,
Mwen pè pou zye m' pa ponpe dlo
Nan papòt douvan jou
Alòske ou fin benyen
Pou retounen al jwenn mennaj ou.
Menmsi ou sèmante sou gousite lanmou ou,
Ou kontinye retounen nan yon tonbo
Ak espwa tan ap delivre ou
Kote lajwa pral ranplase tristès
Epi kontantman madouk ou
Ka ranpli nouvo basen lanmou ou.
Si sèlman m' te ka etènalize rèv sa a,
Mwen t'ap chatpente nan nanm ou
Epi tabli yon sitadèl lajwa.

22 janvye 2003

Contemplation

When a full winter moon glows
Faintly through gapped blinds
And powders one side of your face
With a thin luminous layer,
My heart utters a quiet cry
As if refusing to let go of a pleasant dream.
Although with you, midnight blues
Crawl into our space
And I feel a graying solitude,
A spatial fatigue,
Knowing time with you is only a place
Of contemplation.
If only I could make this dream circular
And stop the marching hours
From severing our exquisite yoke.
With the light of the moon
Brushing your face,
I fear the crying eyes
That dawn would bring
After you've showered and departed
To conjoin your beau.
Despite your vow for our copious love,
You continuously return to a fossil,
Hoping to solidify time
Where joy would replace sorrow
And ancient happiness could replenish
Your neoteric well of passion.
If only I could make this dream permanent,
I would tiptoe into your soul
And erect a citadel of joy.

January 22, 2003

M'ap Swete

Mwen ta renmen dezabiye m'
Sou teritwa lanmou,
San laperèz pou pikan, ni jouman
Osnon derayman
Pou yon kalinaj abityèl.
M' vle lib pou m' fè laplanch
Sou vag lajwa
Epi eskilte ou
Nan kè m',
Menmjan, nan lalin dantan
Mwen te konn miyonnen mennaj
Nan nich memwa m',
Mwen vle dekole
Imaj dènye boubout lan
Pou m' ankadre
Ak yon santye flè.
Mwen vle navige jan m' vle
Sou teritwa lanmou,
Depase fwontyè freneyan
Pou m' ka kiltive bon rèv
Nan tout pati nan kò m',
Epi rasinen lanmou jouk
Nan fondasyon nanm ou.

Jiyè 1995

Wishing

I want to stand naked
In love's landscape,
Unafraid of thorns, scorns,
Or the possible derailment
Of habitual touches.
I want to be free to ride
On the waves of joy
And sculpt your being
On my heart,
The way I've enshrined
Past lovers many moons ago.
And in my memory's niche,
I want to exhume the dwelling
Picture of my last companion
And exalt you in
A vineyard of flowers.
I want to move freely
In love's landscape
Beyond petrifying borders
So I can cultivate dreams
With my feet and hands
Sprouting amorous branches
Reaching to your drumming vessel.

July 17, 1995

Prentan kontinyèl

Pou Lapen Ble

Ou rantre zèl ou nan vi m' tankou yon papiyon eblouyisan
Epi plante prentan nan vètèb mwen, depitan an m' fleri.

Menmsi nou poko gen yon chans pou n' gade
Chichotman leve lawoze, nou glisaye tan n'

Nan zetwalman limyè prentan n' san òbit nou pa deplase.
Nou pase tan n' an pè pou n' konstri etòf nou.

Akablasyon ete fè n' pran epouvantay, pase nan sware manchlong
Ivè, tranchan, vif, nou woule nan dra, nou kreye pwòp chalè n'.

Nou tounen dife youn lòt, andepi pase difisil nou,
Liy nou byen redi pou n' kontinyèlman kwoke kè n'

Sou fil prentan n'. Nou nan setyèm syèl pou fason n'ap fleri,
Prèt pou debwaze jadinye bayawonn epi abdlosyone teren n'.

Nou prèske pare pou n' plante vyolè Afriken n', pita
Nou pral suiv yo k'ap devlope epi bandaye nan van ete.

Pleziye, ou louvri zèl ou nan vi m' tankou yon papiyon eblouyisan
Ki eskòte yon kanbiz viktwa nan yon konbit griyendan.

Tr. 14 novanm 2004

Continuous Spring

For Blue Rabbit

You winged into my life like a radiant butterfly
Lodging spring in my spine, I've flowered ever since.

Although we have not had a chance to watch
The lifting of morning dew into murmur, we've eased

Into fall's starlights without distancing our orbit.
Our time is the peaceful construction of our web.

From fanning summer moments to long and crisp winter
Nights, we've rumpled the sheets creating our own fervor.

We are each other's fire and despite our tumultuous pasts
We've steadied the lines deciding to enduringly hang our hearts

On our spring. Content with our continuous blossoming
We've disavowed our thorny gardeners and abluted our soil.

We are almost ready to plant African Violets and soon
We'll watch them develop and oscillate in the summer wind.

Elated, you winged into my life like a radiant butterfly
Ushering in triumphant and incessant laughter.

November 14, 2004

Zye tamaren

Pou I.D.

An ivè, janvye 97, nou te rankontre nan mòn Vermont,
Ou te kouvri ak ekipman boufan ski, bonèt, linèt pwotèj,
Sèlman zye ou ki tounen fenèt bote ou. Vif, reseptab.
Zye tamaren, sousi pwononse; nan yo, m' wè lavi ebranle.
Ak lamitye, kiryozite, nou remonte menm chèz-glisan,
Epi desann pis-neje tankou de koulèv doubout k'ap fè s.

Kwak vwa ou te soup, rasiran,
Enpasyans te anpare m' pou m' te dekouvri ou.
Ak prekosyon nou retire mask ski n', youn souri bay lòt.
Fredi wouji figi n', men souri n' akolade chalè n'.
San ezitasyon, nimewo twoke.
Ou tabli New York, mwenmenm Massachusetts.
Frontyè eta pa ka sikonfye enterè.

Aprè yon chan konvèsasyon siwolin,
Nou konstri pon amitye
Ak espwa toutrèl.
Cheval-anvi-wè galope n'.
Mwen tounen yon pyepoudre.
Balèn limen tab dine n'
Nou tanmen pwomenad kòkòdaj anba pon Brooklyn,
San yon grenn kristal afektif pa brize.

Dis mwa pita,
Lang nou siwote nan bouch lòt
Men losti pa sèvi.
Nou tounen zwazo k'ap chache nich

Tamarind Eyes

For I.D.

January '97, we met on a Vermont ski trail.
All geared up: hat, gloves, black impermeable jacket.
Only the goggle offered a glimpse of your beauty.
Bright and vivacious, tamarind eyes, life sparked through
Your upbeat gaze. We amicably spoke and shared
The same lift. Later, snake-sliced our way down the slope.

Your voice and tone, although calmed and articulated,
Swamped me with a hasty desire to discover you.
We carefully removed our ski masks and gently smiled.
Reddened cheeks assured by our warm gazes.
With linked roots, we eagerly exchanged numbers.
New York and Massachusetts
Would not rim our mutual interests.

Through unfading and tantalizing conversation
We built an ardent bridge of friendship
With turtledove hopes.
Rapidly, coveted horses galloped in our chest,
I became a roadrunner.
Candlelight dinner in Brooklyn Heights,
Amiable walks underneath the Brooklyn Bridge,
And our crystal of affection remained intact.

Ten months later,
We savored each other's lips,
But no communion was served.
We hovered like desperate birds

Pou n' akouche anvi n'.
Santiman layite san rezèv,
Distans tounen move gad.
Pawòl plim-poul chatouyèt emosyon n',
Mal-karès pafwa pirèd pase grangou.

Aprè anpil pakou dèyè siwomyèl,
Nou bouti nan touf abèy verite.
Nan Long Island lavi dekòlte po twopikal li,
Nou mande refwadisman. De je fèmen,
Nou anbome kò n' nan yon kominyon siwèl.

Oktòb 1998

Seeking an empty nest.
Counting time till the next rendezvous.
Although our sentiments knew no borders,
Time became our sentinels.
Some yearnings are more austere than hunger.

For a while, we virtually adulated
Until we abutted at our beehive.
In Long Island, life bore its tropical skin.
Succumbing to heat, we balmed ourselves
In an exultant communion.

Tr. December, 2004

Pou lanmou ak lavi

Pou Edwige e Fedo

Nan defilman lane,
Kwak langaj ak peyi
Simante n',
Zanmitay nou vin deboutonnen
E nou parade nan vi pèsonèl lòt
Ak kè kontan, kriye, rèv e konfyans.
Mo mouvmante m', pote m' ale nan solèy
Kouche souri ou kote yon vwa hap ki t'ap dòmi
Pandan lontan fè tande l' lè Fedo trankilman
Tonbe sou nòt ekzat lan.

Ayiti se peyi sipriz.
Menm lè lahèn ap pyafe,
Lanmou kache nan tout rakwen.

Anpil kle, anpil akò.
Hap lan, menmjan ak yon akolit,
Se yon enstriman difisil pou metrize.
Fil redi, son apezan.
Fòm elegan epi senp tounen konpleksite l'.
Enstrimantalis sa a dwe pasyan
Avèk dwèt li byen donte.

Nan kalfou kat chemen, lanmou louvri tankou yon petal.
Youn sot Mayami, youn sot Nouyòk.
Rasin youn mele ak lòt, yon melodi tanmen.
Zanj, lwa, zansèt, tout vin fè yon men kontre
Pou zegwifye lanmou sa a ki te kòmanse

For Love and for Life

For Edwidge and Fedo

Over the years,
Language and country
Became our covenant.
Our friendship walked with barefooted ease,
And we discovered each other's personal landscape
Through laughter, tears, dreams and trust.
I am moved among words
Recalling your sunset smile
And the harp in you that had been dormant
Until Fedo slowly played the right key.

Haiti holds surprises.
Although hate is rampant,
Love quietly shelters in the boondocks.

Many keys, many chords.
The harp, like a partner,
Is a difficult instrument to master.
Taut wires, soothing sounds.
Its elegant and simple shape masks its complexity.
Its player must be patient
With determined fingers.

At the crossroad's center, love opens like a petal.
One arrives from Miami, the other from New York.
Entertwined roots, a melody ascends.
Angels, spirits, ancestors, all gather
To stitch this love that started

Ak yon senp ti souri epi yon ekla ri.
Ayiti se peyi sipriz,
Menmlè ou kite l',
Li genyen zetrenn pa l' pou ou.

Avèk tan, Fedo metrize hap lan
Epi kòmanse tradui sekans kè l'
Sou chak kle. Egu, pla, dou.
Minè ak majè.
Chak son ondile rapwoche
Hap la ak hapis lan.

Anpil kle, anpil akò
Sou wout emosyon,
Lanmou se yon kolizyon nanm,
Ki ka pote ou ale tankou yon vag lanmè
Kote kriye ka melanje ak ri.
Kounyen an, nou pa nan mitan kat kalfou,
Melodi lanmou n' deja nan fondasyon kè n'.
Mwen swete chak moman ap yon moman lanmou,
Menmlè gen dan sere,
Oubyen tè an pran tranble nan vi konjigal nou,
Sonje lanmou n', sonje noumenm
Ki aplodi kouwònman lanmou sa a.

Maryaj se pa zèl klanpse,
Ni yon toutrèl ki pandye fas-anba.
Maryaj se yon akonpayman:
Dwèt ak kòd gita,
Bwòs ak twal penti.

With a simple smile and then a burst of laughter.
Haiti holds surprises,
Even after your departure,
It has your gift reserved.

Fedo mastered your harp
Translating the rhythm of his heart
Onto each key. Sharp, flat, soft.
Minors and majors.
Each undulating sound bonded
The harp with the harpist.

Many keys, many chords.
On the emotional terrain,
Love is a collision of souls
That drifts one like waves
And where tears and laughter mesh.
You are no longer at a juncture,
Love's melody is at your hearts' crevices.
I hope each hour will be an hour of enjoyment
Even when teeth may grind,
Or the conjugal bond feels tectonic,
Reminisce about your simple pleasantries,
And recall us who fêted your love's coronation.

Marriage is not a clipped wing,
nor a nightingale that hangs upside down.
Marriage is an accompaniment:
fingers and strings,
brushes and canvases.

Fonn youn nan lòt
Tounen sous dlo miwa
Pou chalè chagren vi selibatè n'
Pa janm seche rezèvwa lanmou nou.

Lanmou se metafò yon mond
Kote emosyon blèz ak bèl rèv chita.
Konsatou, lanmou se yon lokatè
Pou fristrasyon ak movesan.
Kòm achitèk mo, youn se tradiktè
Lòt la ekriven, sonje pou n' chwazi
Mo inofansif, mo envitan
Pou navige langaj nou.

Anpil kle, anpil akò
Sonje se men delika ki plante flè
E nan jaden afeksyon n'.
Rasinen nanm nou pou chak flè ki donnen
Pral yon flè lespwa.

Sere moman sa a nan malèt devosyon n',
Epi kite dousè nou te resanti
Lè nou te fèk touche fondasyon lòt.
Sonje premye anbrasad, timid men dyanm.
M' swete beyatitid zanj nan zile n'
Pral kloche kontantman pa n'
Epi vag son hap la kreye an, pral bèse n'
Nan yon oseyan plezi misikal.

Tr. 12 novanm 2004

Immerse in each other's terrain
As to become each one's spring
So the glutton of bachelorhood
Will not dip in your marital well.

Love is a metaphor for a world
Where cozy emotions and splendid dreams
Are housed. Yet, love also rents flats where
Frustration and anger reside.
As you both are word-smiths:
A translator and a writer, remember
To choose neutral and inviting words
To be your voice stream.

Many keys, many chords.
Flowers must be planted with care
And in your affective's garden,
Include your soul so that each flower blossomed
Will be one of hope.

Remember this hour is one of devotion
And recall the joy felt
When you shook each other's core.
Remember the first embrace, timid yet happy.
May the laughter of the gods and goddesses of our island
Be your laughter, and may the wave of the harp lull
Your core to eternal musical happiness.

August 17, 2002

II

Lust
Anvi

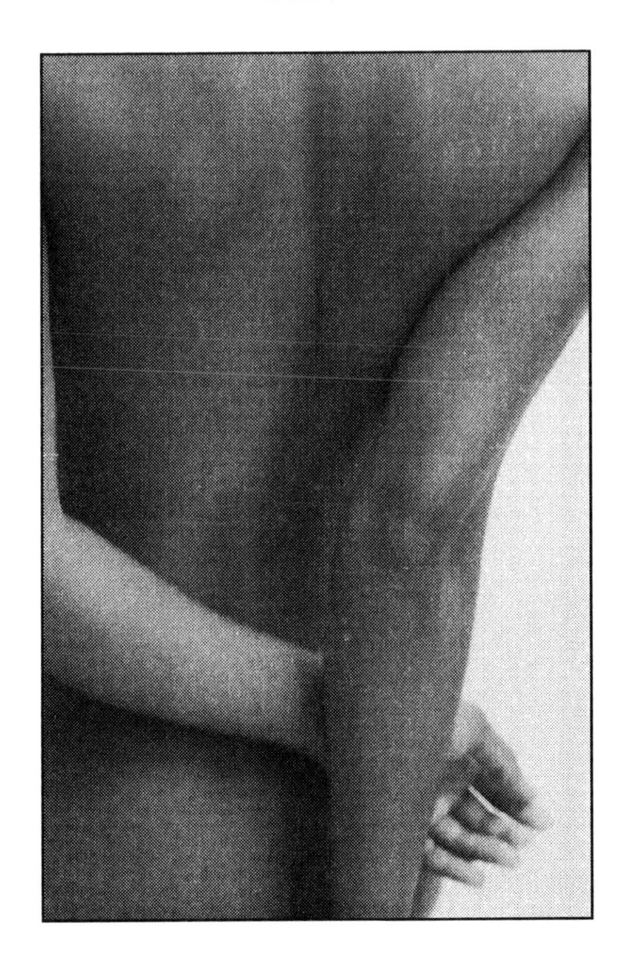

Dezyèm dyaman

Pou M. A.

Loulouz e natirèl,
Dous pase chokola,
Pi sikre pase mango
Ou kouche sou mwen san rezèv,
Po karamèl satine
Ou fè m' reve tank plim poul lang ou
Pensote pwatrin mwen.
Tèt mwen se yon tanbou k'ap pran son...
Youn danble, youn siwote
Mwen sonje, mwen bliye
Jan ou te fè m' kriye anba yon rigwaz dousè
Lè dwèt ou te fin jwe tout nòt nan gita m'.
Mwen prè pou m' reyakòde.

Dyaman kreyòl,
Dous pase chokola,
Fanm etensèl ki briye nan rèv mwen,
Ou dous tankou Èzili,
Bouch ou se siwo dòja
Mwen ta gagòte ou pou m' siwote kè m'
Ki nan dezawa tank li grifete;
Lougalman, lanmou ou zikap mwen
Pou kè m' ka jèmise ladousè.

Menmjan ak powèt René Depestre,
Mwen fè jeyolibètinaj pa m',
E chak kontinan, chak peyi
Ban m' kadans ak sekous pa l'.

Second Diamond

For M.A.

Smooth and natural,
Sweet chocolate,
Mango drip.
You lay on me without reservation.
Silky caramel skin,
With your feathery tongue goose-bumping
My chest, you transport me to an odyssey.
My head is a drum.
I'm neither here nor there.
As I weep under your touch.
Finger licking licks,
Hendricks can't match your guitar playing.
I'm ready to re-wire my strings.

Diamond Creole,
Sweeter than chocolate,
You are my incandescent passion,
Pleasing as Erzulie,
Your mouth is a tonic.
I want to gulp your drops to revitalize
My distressed and petrified heart.
Sip by sip, your love zapped me,
Bolstering my passion.

Like the poet René Dépestre,
I've done my share of Geo-Libertine.
Each continent, each country
Jarred and jolted my desire.

Dyaman kreyòl,
Kanta pou ou, mwen koube
Pou m' salouwe Metrès yo
K'ap kongosifye nan ren ou.
Mwen fonn tankou sik nan kafe cho,
Lanmou ou tounen pasyon m'
K'ap satiyèt anvi m'.
Akwaksa, laperèz kadnase kè m'.

Mwen dòmi reve ou.
Lè m' reveye, yon pyano mizikal
Enstale bò bouch mwen.
Kwak dousè ou anvi fè m' naje
Nan lanmè afeksyon ou, laperèz ban m' kranp
Akoz yon alyans-nòs ki sikatrize dwèt mwen.

Dyaman Kreyòl,
Dous pase chokola, nannansifye pase mango,
Sous myèl lanmou ou siwote venn amè m'
Pou l' rechte move eksperyans.
Kout-ba, kout-lang.
Dyaman Kreyòl, zye pistach kale,
Bouch siwo dòja, mwen mande ou pasyans
Pou m' dekristalize kè m'.
Laperèz ak krent
Fè lanmou m' tounen evantay.

Avril 1998

Creole Diamond,
I bow down to you,
Saluting the Erzulies who fashioned
Licentious Congo dance in your hips.
I am sugar in hot coffee,
Burned by desire,
Your love is my fervor.
Still, fear encages my heart.

You were in my dream.
When awakened, piano keys
Embellished my smile.
Beyond the longing to swim in your sea
Of affection, fear alters my strokes,
There is a burning groove in my annular.

Diamond Creole,
Sweeter than chocolate,
Even juicier than a mango,
You are becoming my hive
Enhancing my relish for passion,
Even pardoning cheats and blacklegs.
Diamond Creole, bright almond shaped
Eyes, amaretto flavored lips,
I implore your patience until my heart is lucid.
Fear and reluctance
Have turned my love into a shutter.

Tr. Nov. 29, 2004

1997, nan Jakmèl

Nou fè lanmou Jakmèl nan lanmè kobalt,
Byen lwen timoun antyoutyout grennsenk,
Byen lwen joudasite zwazo madan-sara,
Byen lwen yon potorik fanm evanjelik
K'abiye ak yon rad woz-brode pou dimanch
Epi li mete ak fyète yon chapo Kapelin blan an pay-tise.

Nou fè lanmou Jakmèl nan lanmè kobalt,
Byen lwen jouda ki vle jofre,
Byen lwen pechè k'ap retounen ak pwason woz,
Byen lwen machann pwason boukannen.
Nou fè lanmou Jakmèl nan lanmè kobalt,
Anba dlo, nou akoste sou yon wòch rasin
E nou respire nan flit banbou byen long.

17 avril, 2004

1997, in Jacmel

We made love in Jacmel's cobalt sea,
Away from the chattering ragamuffin lads,
Away from the gossip of the yellow birds,
Away from the stealthy evangelical woman dressed
In her pink laced Sunday-best and proudly wearing
A white cartwheel straw hat.

We made love in Jacmel's cobalt sea,
Away from suspicious peeping toms,
Away from fishermen returning with Red Snappers,
And away from cooked-fish vendors.
We made love in Jacmel's cobalt sea
On the ocean floor, holding on to anchored rocks
And breathing through thin bamboo shoots.

April 17, 2004

Fiksasyon

Bezwen pou deboche
Se yon defilman vag juisans
Nan manje nannan-zanmann
Ki tranpe nan yon tas siwo dòja
Ak konfiti seriz nan yon bòl chinwa.
Petèt se fason
Transpirasyon glise sou po
Chalè libidosifye nè
Epi yon chalbwa ap medite
Avan li souse kann kale.

Tr. 25 nov. 2004

Binding

Carnal Desire
Is a ceaseless wave
Of lust
Between passion fruit
And oriental teacups
Perhaps it is
The way
Sweat navigates skin
Heat libidifies nerves
And a praying mantis
Chopsticks sugarcane.

June 1990

Sèks

Se yon vilbreken luile,
Yon piston k'ap fè filalang,
Yon bouch k'ap machinen,
Yon cheval k'ap galope bò rivyè,
Sèks se antasman kò n' nan yon sous
Transpirasyon. Youn benyen nan chalè lòt.

Sèks se son tanbou k'ap redouble,
mate, glise, kase yon ritm kongo.
Sèks se yon bouch fidèl k'ap resevwa losti.
Se yon mayi boukannen nan yon plamen,
Se yon rekòt karès nan plantasyon lanmou,
Yon chokola nwazèt k'ap fonn anba lang.

Sèks se kout rèl dousè ki mòde nan tèt,
Yon kouran sansasyon ki elektrifye pik v.
Se Lakrèt-a-Pyewo siwolin pran daso,
Se yon chat k'ap lanbe yon bwat lèt Nesley,
Se yon bouch frèz k'ap souse yon piwili,
Se yon kavite k'ap resevwa plon.

Sèks se chèdepoul aprè yon premye karès,
Se lakansyèl kontantman aprè latè fin awoze,
Se rigòl syè k'ap glise desann nan falèz do ou,
Se de zye ou ki fèmen pou reve ou nan paradi.
Sèks se dyalòg natirèl de moun ki kominye ak lavi,
Se vibrasyon juisans liben-libè nan jaden ekzistans.

Avril 2000

Sex

Is an oily crankshaft,
A slipping piston,
A mouth softly chewing,
A horse trotting on a river's edge,
Sex is bodies intertwined in rivulets
Of sweat, forming a biological sauna.

Sex is the multi-rhythmic sliding finger sound
On a Haitian Congo drum.
Sex is the host placed on a Christian's tongue.
It is a baked corn on the cob served in one's palm.
It is a harvest of caress in a plantation of love.
It is a French kiss with melted milk chocolate.

Sex is the scream of ecstasy reaching vortex
Like an electrical sensation jarring the V-tip.
It is the Citadel's capitulation by the Libido cadets.
It is a cat licking clean a Nestlé milk can,
It is strawberry lips sucking on a grape popsicle,
It is the slow filling of cavities.

Sex is a universe of chair de poule after the first caress,
It is the first drop of rain on a parched earth,
It is beads of perspiration snaking the crevices of bare backs,
It is your eyelids slightly shut dreaming of paradise.
Sex is life's natural dialogue, a communion of souls
And a vibration of bliss in the garden of our existence.

April 2000

Sote kòd

Arebò yon plaj andeyò lavil SenMak,
Bò yon chantye byen platinen
Ak sab fen koulè krèmwaze,
M' te chita sou yon resif
Pou m' gade de jèn gason anviron 14 zan
T'ap vire ak virilite yon kòd mawon
Byen pwès anba yon pye flanbwayan.
Senk jèn fi aliyen ap tann tou yo,
Ti-medam yo sote ak dyanmte
Pandan yo kenbe pwent jip yo.
"Yon dous, yon cho."
Timoun yo ret jwe anba pye flanbwayan an
Pou yo evite grif reyon solèy.
Vwa ak kontantman yo eskalade
Epi sonnen tankou yon twoupo volay.
Mouvman ajil e ritmik pye yo
Transpòte m' nan jenès mwen,
Epòk juisans te konn dyayi anndan m'
Lè m' te konn sote kòd ak ti-medam yo.
Kuis eklatan, janm miskle, koudèy razwa,
Nenpòt ti touchman kò youn lòt
Nan sote-kwaze te voye n' nan yon zòn
Paran n' te kwape.
Nou te inosan men nou te danjere.
Diferans sèks nou se te liy demakasyon n'.
Pita, nou pran plezi nan jofre janm ti fi,
Jarèt miskle anba zèl jip k'ap vòltije.
Detanzantan, medam yo ban nou vire kòd,
Enpe nan nou ki te gen òmonn debòdal

Rope Jumping

I sat on a boulder
By a beach near Saint-Marc,
The small province to the north of Port-au-Prince,
Watching two boys, about 14,
Underneath a flame tree
Fiercely swinging a thick dark brown rope
On soft creamish dirt roads.
Five girls lined up to take turns,
They jumped fearlessly while holding
The bottom of their skirts.
"Yon dous, yon cho," one soft and one peppery.
They played under a large flamboyant tree
Avoiding the burning rays of tropical heat.
Their voices and laughter rose
And resonated like a flock of migrating birds.
Their cadences and agile feet
Transported me to my youth
And the burning joy I felt
When jumping with the girls.
Glistening thighs, firm feet, quick eyes
And the slight touches of the opposite bodies
When playing doubles carried us to a zone
That our parents had traveled and feared.
We were innocent and dangerous.
Our obvious gender difference became the dividing line.
We later took pleasure at watching the girls' legs
And their solid thighs underneath their flying skirts.
Occasionally, we would be allowed to turn the ropes.
And those of us with racing hormones

Vin pote move non.
"Yon dous, yon cho."
Ki senaryo ki t'ap dewoule nan imajinasyon
Jèn gason pandan yo t'ap vire kòd
Pou ti-medam kuis atlèt sa yo?

Jiyè 1997

Became the bad boys' placards.
"Yon dous, yon cho," one soft, one peppery.
I wonder what those boys were thinking
As they swung the ropes
For those athletic-bodied girls!

July, 1997

Yon brinèt nan Santiago

Bò yon plaj karyante, vantab
Touprè Santiago de Cuba,
Yon brinèt mens, wo, te doubout
Sou yon wòch avèk yon wòb bèj
Prèske transparan anwo l', epi li kenbe
Yon kwoki lanbi bò zòrèy dwat li.
Zye m' enspekte l' tankou yon rèv,
M' mande-m si lanmè a te chichote
Panse m' ba li.
Grasyezman li vire,
Mache nan direksyon m'
Li lonje ban mwen yon kokiyaj
Lanbi byen lis grosè yon mandarin.
Nou souri avèk tandrès.
Koulè tamaren zye l'
Kouwone avèk gran plim
Ban m' anvi naje nan yo.
M' te anvi suiv li
Ti-pa ajil epi sansyèl
Rive sou tèt bit wòch lan
Kote li chita a. Men, lanmourèz mwen
Avèk nen detektif li an,
Mande m' tounen nan dlo a.
M' fèmen zye m' epi m' plonje
Avèk kè m' ki ret kwoke
Nan filaman anvi.

Jiyè 1995

La Morena de Santiago

On a rocky and windy shore
Near Santiago de Cuba,
A morena woman, wearing
A near transparent beige dress,
Stood tall and slender
With a conch shell to her right ear.
As my eyes scoped her like a dream,
I wondered if the sea had whispered
My thoughts to her.
She gracefully turned,
Walked toward me
And handed me the smooth
Baseball-sized shell.
We smiled flirtatiously.
I was drawn to the splendor
Of her light hazel eyes,
Adorned by thick dark eyelashes.
I wanted to follow her
Agile and gentle steps up the boulder
Where she sat; but my lover,
With her keen nose,
Called me back
To the water.
I closed my eyes and plunged
With my heart hanging
By filaments of desire.

July, 1995

Chokola

San kachèt,
Mwen kapte ou
K'ap dezabiye m' ak presizyon,
Souse pwòp tèt bouch ou
Grangou pou satisfè anvi
Manje chokola.
Mwen se angwas ou,
E menm peche ou,
Yon papiyon
Ki kouche ankwa sou lestomak ou
Tankou yon krisifiks.

Tr. 25 novanm 2004

Chocolate

With conspicuity,
I've scoped you
Scanning me with precision
Tasting your own lips
Wishing to satisfy your craving
For chocolate.
I am your anxiety,
Perhaps your sin,
A butterfly
Laying across your chest
Like a crucifix.

June 1989

Jòf

Kiryozite kenbe n' tankou yon gran bezwen.
Depi a huit-an n'ap wose miray
Pou n' gade vwazinay
K'ap benyen toutouni.
Tete, plim devan, dèyè, kuis.
Tout pati nan kò eksitan.
Nou defye rigwaz,
Nou defye katechism
Pou n' satisfè pikotman seksyèl
Je nou danse nan twou pòt,
Nou kilbite dèyè fenèt
Tèlman bèlte kò elektrifye mwèl tèt
Nan yon laviwonn anvi
ki sikonsi n' pou letènite.
Nou chache wè kò ki soup,
Mens, gra oubyen miskle,
N'admire jan yo twote.
Zikap koudèy nou.
Pou nou, fanm te mistik,
Maji lavi desinen nan yo.
Nou jofre jouk nou vin abitye
Ak gou awomatik jèn fanm.
Nou jofre jouk jòf vin pèdi faz.
Men, menmlè jòf pran retrèt,
Awoma ak kadans fanm
Toujou satiyèt imajinasyon n'.

Dawout 1996

Peeping

Curiosity was a merciless itch.
Since eight we'd been climbing walls
To watch neighbors bathing naked.
Breasts, pubic hair, butts, thighs,
All body parts excited us.
We defied whips,
We defied catechism
So we could gratify our sexual craving.
Our eyes became restless through keyholes,
And we stumbled behind windows
While the view of a body
Sent excitement jarring through our minds.
As if circumcised in a whirlwind of desire.
Slim, plump, fat or muscular
Those bodies and the way they occupied space,
Made us believe women were mystical.
We peeped until our palms
Heated our sex and begged for mercy.
We peeped until we grew accustomed
To the redolence of young women.
We peeped until peeping became blasé.
Despite the retirement of peeps,
Women's aroma and cadences
Still nudge our imaginations.

Tr. September 4, 2004

Wa gouyadè

Gede Nibo, mèt kalfou,
Nan plamen ou lavi desine.
Ou nan lavi ou nan lanmò,
Men se nan ren ou lavi fleri
Tankou flè flanbwayan.
Wa gouyadè,
Moun foli-debyen je-drandran
Mèt twaze ou jouk retsezi,
San gouyad lavi brak.
Yon dous, yon cho.
Gede Nibo,
Kapitèn dousè, wa gouyadè
Ou kolan pase poban nan bouch granmoun,
Pi epise pase aransèl pike ou,
Mentou, ou dous pase siwo kann;
Kote ou pase ou sou twa pye
Tout fanm matire ofri ou tete
Pou tchovi ka grandi potorik.
Yon dous, yon cho
Fanm resevwa a nan toubiyon gouyad,
Oumenm ou monte yo ak gouyad kosmik;
Planèt yo fè woulawoup nan ren ou.
Gede Nibo, se ou ki gen sekrè plezi,
Se ou ki pimante lavi nan boutèy Ginen ou,
Se ou ki bay syèl la gouyad
Pou yon lapli dechay ka kannale
Nan sous fanm kote lavi bay payèt.

Avril 1999

Gyrating King

Gede Nibo, master of the crossroads
You concealed in your palm life's secret.
You dwell in the realm of birth and death,
And it is through your hips
Life blossoms like flamboyant flowers.
Gyrating King,
The self-righteous and pseudo-aristocrats
Can posture their noses.
In the natural world,
Life is curdled without gyration.
Gede Nibo, Captain Flavor, Gyrating King
You are a corncob pipe
In an old woman's mouth,
Sweeter than cane syrup
In Erzulie Dantor's gourd.
Wherever you dwell,
Fertile wombs are offered for healthy offspring.
Smooth and peppery
Invitations are given through
Gyrating whirlwinds
And you respond with cosmic pirouettes.
The planets revolve in your hips.
Gede Nibo, keeper of joy,
You enhance life
With your enchanting bottle,
Gyrating so spermato-rain can filter
Through the core of women where life emerges.

Tr. Nov. 30, 2004

Gede-Eròs

Nan kòsmòs seksyèl,
Nan syèl dousè,
anba lakansyèl plezi
Kote alsiyis twone,
Se Gede ki montre Eròs
Siwoline ren Lagrès.
Gede, toujou san jèn,
Fè Eròs mache
Toutouni nan jaden lavi
Pou li aprann li keyi
Flè divin lanmou ki petale ak pasyon.
Nan kòsmòs seksyèl,
Nan inivè ògazmik
Kote fanm ak gason chante plezi
Se Gede ki bay Eròs jèvrin
Pou li fèmante
Erotisite anndan Lagrès.
Nan syèl erotik kote Gede se wa,
Eròs jwenn pèmisyon
Pou li pase men sou vant latè,
Men se Gede ki siwote lemonn
Nan dwoum lanmou Ginen.

Avril 1999

Gede-Eros

In the epicurean cosmos,
In the heaven of desire
And under the rainbow of joy
Where salacious tones are norms;
Gede tutored Eros
On how to circumvolve Greece's hips.
Lascivious and satirical,
Gede ushered Eros
To journey naked in life's garden
While training him
How to pick divine flowers
Laden with fervid petals.
In the epicurean cosmos,
In the universe of orgasm
Where men and women joyfully concerted,
Gede dispenses Eros with stamina,
Smoldering delight in Greece.
In heaven erotica, Gede is King.
In this sensual planet Eros carries
A caressing carte blanche,
But it is Gede's piquant aphrodisiac
That bewitches life in his organic
Barrel of love.

Tr. Nov. 29, 2004

Libètinaj

Pou M. A.

Nan mitan plaza Lincoln Center
Nou t'ap danse tèt-a-tèt,
Youn enspire respirasyon lòt,
Ou souri timidman lè anvi bo sele ou.
Nou te de pami yon milye moun,
Ki t'ap danse mizik epise Chico O'Farrell.
Salsa, Rumba fè nou bouje,
Eksitasyon ren ou rebondi nan ren m',
Kò-a-kò, sen ou gazouye sou mwen;
Pwent yo miri.
M' te toujou reve rekòlte nan jaden ou.
Tè mou e abondan,
Je fèmen, kimele ou monte ou,
Bouch ou vin goute pinakolada
Ki te kache anba lang mwen.
Mizik kolan, transpòtan, bwason pikotan,
Nou satiyèt dezi lòt nan yon chalè tolerab.
Nou ret danse, plezire, tèt-a-tèt.
Nou pase yon nuit ap bay lòt tèk-bò-wonn,
Jouk n'al debarase anvi n' a katrè nan maten
Sou kousen yon tèt-bèf. Mizèrikòd!
Po vlou, soup, kò feminen, miskle, sere.
Chaplè m' jwenn ak meday ou.
Yon bò lalin-Afriken m' nan chak plamen ou,
Ou laviwonn yo relijezman.
Nan espas kwense, ren nou tounen yon moulen,
Nou moulen jouk nou kase manch.
Kwense epi devide,

Libertine

For M.A.

Near the middle of Lincoln Center plaza
We danced fittingly,
Inhaling each other's breathing. Your desire
To be kissed was signaled by your coy smile.
We were two amongst a thousand
Dancing to Chico O'Farrell's viscous
Salsa and Rumba repertoires.
Through grooving feet, churning hips
And snug steps I succumbed
To your luring heat as hardened tétons revealed.
I had always dreamt of harvesting in your garden
With its yielding and abundant soil.
Eyes closed and carefree,
You excitedly tasted the piña colada
Bedded underneath my tongue.
Pertinacious and transporting music_
With soothing drinks we hastened our urges.
After a few hours of dancing fittingly
We moved toward the apex,
Camped in the back seat of a Toyota Land Runner.
Refined and smooth skin,
Femininely solid and muscular,
I completed and looped my prayer beads.
You religiously waxed
My African moons in your palms.
Tight space, your hips like a hand-mill,
Grinding to depletion.
Cramped and heaving,

Ou di m' ou anvi manje lanbi.
Ou gade m' ak zye souriyan lè m' di ou :
"a-suiv."
Youn gade lòt ak entensèl,
Kap pasyon n' ap toujou jwenn van.

Out 1999

You expressed a craving for conch.
You looked at me with smiling eyes, when I said:
"To be continued."
Through yearning and willing gazes
Our kite of passion will always soar.

Tr. Dec. 3, 2004

Pèdisyon

Pou S.H.

Nan ziltik fimaman, nan zèsèl syèl ble,
Kote zetwal bay payèt pou chame lanmoure,
Kò m' pran transpire pou l' resevwa ou
Tankou yon lang k'ap tann losti.
Chelèn, dous, lis
Ou fè m' tounen yon rivyè
K'ap chache wout lanmè,
Nanpwen kase tèt tounen.
Depi m' nan bra ou,
Yon latranblad demare anndan m',
Eksitasyon elektrifye mwèl mwen.
Zo m' mousifye
Pou lanmou ou ka rasine
Nan bitasyon kò m'.
Doulè ak plezi makònen
Chak fwa lang ou fè woulo nan zòrèy mwen,
M' kòde, m'anvi kouri; men, mwen toujou
Tounen pou plis. Bis.
Se pa vis,
Dousè lanmou n' ki byen vise.
Lè n'ap naje nan pasyon lòt,
Se pilsasyon lavi ki tounen softaj nou.
Youn nwaye nan lòt.

18 avril 1998

In the Groove

For S.H.

In firmament's gorges, the sky's abyss,
Where stars strut to charm lovers,
My body moistens to receive you
Like a tongue waiting for hosts.
Enticing, sweet and smooth,
You've turned me into a river
Searching sea's route,
There's no turning back.
When I'm in your arms
I shudder inside,
Electrified by intense excitement.
Even my bones soften
So you can be rooted
In my marrow.
Pangs and elation converge
Every time your tongue flips in my ear,
I quiver, wanting to run. I always
Scrounge for more. Encore.
It's not a gluttony,
But your warmth grips me.
And as we are swimming in our passion,
Life's pulsation becomes our lifeguard,
Yet we drown in each other.

Tr. Nov. 20, 2004

III

Loss
Pèt

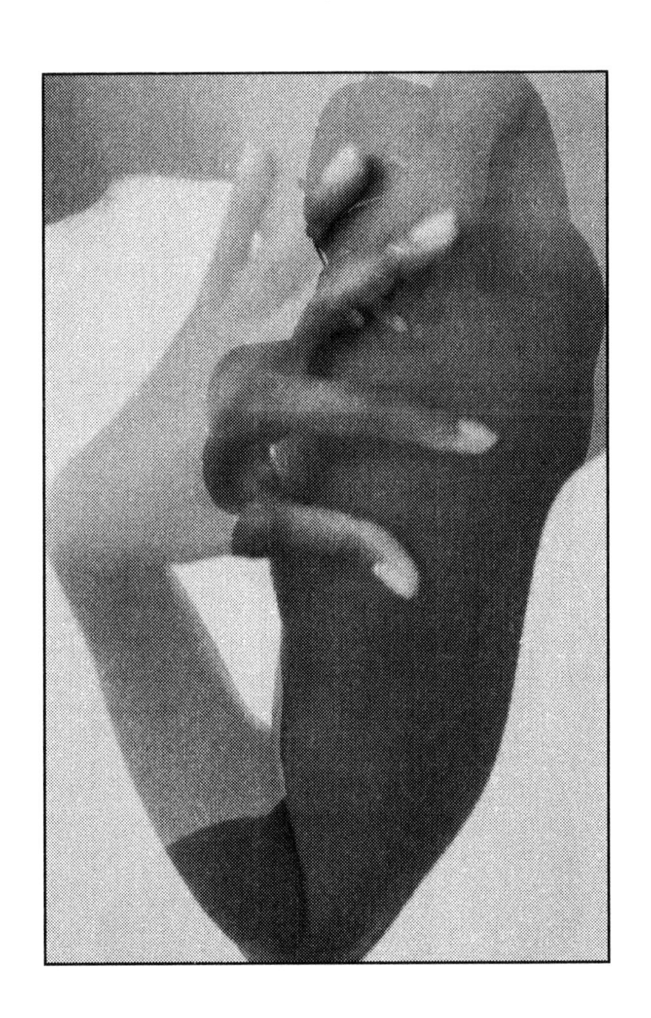

Memwa m' sele

Mwen kaprisyezman ankofre
Memwa lanmourèz ki deja kite,
Pafwa, lè m'ap trankilman
Repase vi m',
M'al dekwoke,
Yon sant,
Yon souri,
Yon touche,
Oubyen fason kò nou
Te konn tranpe makònen nan swe n'.
Oubyen, tousenpleman, yon tèt
Ki kalmeman repoze sou pwatrin mwen
K'ap respire ak lejète
Awòm lanmou n'.

Gendelè,
Menmlè nou separe lontan,
Yon lanmourèz ret kwoke
Tankou yon kadran nan memwa m',
Li grasyezman okipe espas;
Menm zafè l' li kite dèyè:
Yon echap twal swa koulè jonn-oliv,
Yon razwa janm,
Ak yon pè sandal mawon.
Tout sa fè rigolèt dlo koule nan zye m'.
Menmlè mwen mare ren m'
Pou m' deplante l',
Yon anvi ret chouke l'
Nan soukonsyans mwen.

Saddled by Memories

I capaciously harbor memories
Of long gone lovers,
And sometimes,
When quietly reminiscing,
I'll go fishing
For a scent,
A smile,
A touch, or
The ways our intertwined
Bodies nestled in sweat;
Or simply, a gentle head resting
On my chest, calmly breathing
The aroma of our love.

For sometimes,
Despite the years of separation,
One lover hung
Like a frame in my memory,
She subtly occupied space;
Even the things she left behind:
Like her yellowish-green silk scarf,
Legs' shaving razor,
And a pair of brown summer sandals
Have brought rivulets of tears.
Though I've mustered strength
To extricate her,
The unconscious desire
To be surrounded
By her memories prevailed.

Pafwa, san m' pa atann,
Plamen m' sonje prezans li,
Transpirasyon solitid koule
Pandan m'ap karese tèt kèk flè-woz.
Mwen tounen yon zwazo
San zèl nan yon nich pikan.
Memwa l' kouve m'.

Avril 1999

At times, when least expected,
My palm empty of her hand
Sweats loneliness
As I cradle soft heads of roses.
I have become a wingless bird
In a nest of thorns
Clipped by her memory.

April, 1999

Sanblans

Mwen foure m' nan yon nas dezi
Kote lanmou teyatral toupi m'
Nan ang oktagonal.
Bonsans mwen te enfekte nan yon vwa chimeranjelik
K'ap fofile mo, epi rega prèske someye
Mache trese-kwaze tankou modèl ewopeyèn;
Al kaloje imajinasyon m'
Nan yon konvèjans maltrese.

Gwosès se pa yon metafò pou mizèrere.
Mwen chache cham ak gras nan pawoli l',
Men vwa l' trangle tout vantilasyon.
Kay lan tounen yon inivè ki klwazone
Ak bwat-vokal li.
M' al pran azil atè a,
Tapi an vale kriye m'.

M' tonbe nan yon twou-rego move rèv
Mwen pa ka deplase kite lonbraj mwen.
Vyann kole sou zo, kochma pran
Degaje nan san.

Planche a te twò leje pou sipòte m',
M' sige nan sousòl pou m'al jwenn Monk.
M' glise kò m' anndan yon aparèy CD
Epi ranpe anba pye dwat Monk.
Li choute, pyafe epi li dwete klave pyano an
Pou l' kreye "Bèl Ledè."

Semblance

I walked into a web of lust,
Where theatrical love spun
In octagonal angles.
My senses were infected by a pseudo-angelic
Voice sequencing words, downcast eyes
And a quaint European model-like-step.
My imagination was entrapped in
Nonparallel convergence.

Pregnancy is not a metaphor for jubilance.
I searched for grace or art in her
Speech, but her voice chokes the air.
The house is a universe contained
By walls of her vocal timbre.
I sought refuge on the floor,
The carpet drinks my tears.

Fallen into the pit of an ugly dream
I could not walk away from my shadow.
Flesh simmered on bones and nightmares
Ran their blood-course through veins.

The floor was too light for my weight,
I went underground to find Monk.
I slid into the CD player and crawled
Underneath Monk's right shoe.
He kicked, stomped and fingered keys,
Creating "Ugly Beauty."

Yo mete m' deyò nan lokal lan,
M' rekonèt mwen nan yon twou-rego move rèv.
Mwen te bezwen sove, men mwen pat ka
Deplase kite lonbraj mwen.
Mwen fè wonn vil lan jouk pye m' petri,
Se sèl tapi seche an ki aksepte m'.
Akwaksa, bwat-vokal li ret limen
Tout lannuit tankou yon koukouy.

Tr. 27 novanm 2004

I was kicked from the scene,
And fell in the pit of an ugly dream.
I wanted to escape but could not
Walk away from my shadow.
I circled the town until my feet twitched,
The dry carpet welcomed me back.
But her timbre stayed on into the evening
Flashing like a firefly.

May, 1990

Mantèz

Vandredi swa, 8:15,
Yon dam figi lis e lejèman alonje,
Rantre nan chanm mwen zye l' byen wouji
L'ap plenyen gravite doulè jan lanmou l'
Prije, itilize epi kè l' brize.
Mwen ba l' softaj
Nan koub bra m', byen-mens.
Dolote epi dodine l' jiskaske
Limyè solèy vale lombraj li.

Pou yon bout tan, li parèt, rèv nou te fofile
Nan pwòp fabrik kòkòt-ak-figawo n',
Yon zòn klète te tabli
Kote tout move riz t'ap grennsenk;
Men devosyon l' ak sekrè l' kloure
Nan nwasite dèyè bèl miray souri l'.

Chalè kriye zye l' fè m' vwayaje dram li
Epi abite nan espas doulè l', jouk yon jou,
Avan solèy te gen pou l' chanje katye,
Yon monm marye vin plenyen sò l' devan pòt mwen.
Sezisman blayi, aprè manmzèl fin jire fidelite.
Nou dekouvri nou te twa.
Ak kè poze, atrap-nigo tounen plan n'.

Kolokatè l', lanmourè 1, konfeksyone yon vwayaj pou 3 jou.
Santi l' dyanm, manmzèl refabrike istwa l an bay lanmourè 2.
Tout pòs kazèn vid, li envite m' vin pase yon fen-semèn.

La Petite Fibber

Friday night, 8:15,
A smooth and slightly elongated baby face,
Entered my flat with bloodshot eyes
Bewailing how it hurts to be broken
And ensnarled.
I gave her safety
In the slender curve of my arms.
Held and rocked her until
The morning light subdued her shadow.

For a while, it seemed, we wove our dreams
Into the fabric of our own undulation,
Moving toward clear zones
Where gambits would be misfits;
But her devotion and secrets remained
In a dark place behind her tantalizing smile.

Through burnt tears, I traveled her sagas
And inhabited her crowded pain, until one day,
Before the sun had changed its horizon,
She brought a lamenting married man to my door.
Shocked, after she had vowed commitment,
We discovered we were three.
With sobriety, entrapment became the plan.

Her roommate, lover 1, contrived a 3 day business trip.
Feeling confident, she mirrored lover 1's story to lover 2.
With all grounds cleared, she invited for the weekend.

Avan lannuit sede plas bay lajounenn
Lanmourè 1 ak lanmourè 2 kanpe
Devan papòt chanm manmzèl y'ap sifle,
Mwen leve al jwenn yo.
Imilye, li pete yon rèl, akize move istwa l'
Pou vorasite anvi l'.
Aprè li te fin byen jwe n',
Nou kite l' nan yon eta glasyal.

Tr. 27 novanm 2004

Before the night merged with daylight,
Lover 1 and lover 2 stood whistling
At the threshold of her bedroom,
I got up and accompanied them.
Humiliated, she bawled out, blaming
The past for her rapacious desire.
Having been duped,
We left her in a boreal state.

June 1993

Kitans

1

M' vanse pa-chat bò fwontyè lanmou
Epi kasetèt-tounen tankou yon wonjè.

Mwen jwenn lanmou epi m' rigwaze
Mennaj ak kitans.

Gendelè, tafyasite m' nan lanmou
Fè m' pote yon medayon tristès.

2

Pafwa, m' tankou yon mimi arebò dlo
K'ap tripote pou l' jwenn chimen.

Gen anpil ki pwomèt kannari ranpli ak diven
Siwo-myèl, olyedesa yo pote etanòl ak vinèg.

Fyèl mwen ranpli ak bil marital,
Mwen bezwen konsonmen bon nitriman.

3

M' plede koupab nan koule filèz iwondèl
Nan vag dlo sakajant e frèt.

Genyen ki plonje san prekosyon:
"Pwofon ak toubiyman rapid."

Gen lòt ki kòmande dewoute direksyon kouran m',
Yo bliye van toujou lib pou l' vante.

Septanm 2004

Quittance

1
I've tiptoed on love's borders
And backed away like a rodent.

I've been loved and lacerated
Partners with quittance.

I've also loved drunkenly,
And marked by talismans of sorrow.

2
I've been a cat at water's edge
Pawing my way to safety.

Many promised gourds filled with honey-
Wine, instead brought ethanol with vinegar.

My gallbladder is filled with marital bile,
I want to consume healthy nutriments.

3
I've been guilty of drowning eager suitors
In ravaging and cold waves.

Some dove without heeding the caution sign:
"Deep with Rapid Undertow."

Others commandeered change to my currents,
Forgetting that the wind is free to blow.

Sept 3-Oct 4, 2004

Meyakoulpa

Mwen responsab woujisman ki ansèkle zye ou,
Pou gonfleman lam-kriye ki derefize koule,
E pou roti somon an ou pa menm gentan goute.

Mwen reponsab simayen pwav nan jwa-de-viv ou,
Pou jalouzi ki ansèkle tokay ou nan fason ou akolade,
E pou ensistans ou ki vle bride galopaj libèten mwen.

Mwen reponsab toufman wosinyòl ki nan gòj ou.
Pou telefòn lan ou ret ap siveye,
E pou antouraj ou ki razwete m' avèk rega koulin.

Mwen responsab tentire bouch ou ak hèn,
Pou plisaj ki plante nan fwontèn ou,
E pou move gou kafe bo ou vin genyen.

Septanm 2004

Mea Culpa

I'm the culprit for the red rim around your eyes,
For the pregnant tears that refuse to brake,
And for the baked salmon that remained untouched.

I'm the culprit for peppering suspicion in your joie de vivre,
For the unwavering dominion through embrace,
And for your insistence in bridling my heedless steps.

I'm the culprit for slaying the Robin in your heart,
For the telephone you kept on guard,
And your entourage that bled me with their spiked gaze.

I'm the culprit for tarnishing your mouth with hate,
For the furrow that cultivates from your brow
And for the bitter coffee taste that is your kiss.

April 13, 2004

Boukliye kè m

Anba mòn Sen-Ròk mwen rakle pou lanmou,
Epi tonbe sou pyebwa. Jenou grafouyen, zepòl anfle.

Apèn trèzan, m' tonbe damou yon demwazèl kenzan :
Très cheve nwa long, wòb koton ble san manch,

Jansiv vyolèt, dyòl loulouz, rega leman.
Ete '79, mwen tounen potè panye frui.

M' sonje awòm sapoti ki fèk keyi,
Frui koulè vyolèt, tij lakòl sa a te entèdi

Jouk bridasyon te tabli sou anvi pou manje l'
Ak moderasyon. Mwèl krèmifyan l' te afektif.

M' fòse aprann kontwole anvi, pou dezi
Pat metrize volonte m'. Esklav gratifikasyon.

Andeyò mak bag brile ki nan dwèt anilè a,
Amourèz ki te jire, filtre nan ateryo vital mwen.

Manb pa pouse m'. M' pa ka trebiche sou teren sa a,
Se sèl ravin ak krevas k'ap akeyi tonbe m'.

M' ta renmen dousifye pye m' nan frechè zèb-preri,
Anba evantay foujè, jwenn konsoud pou netwaye san m'.

M' eseye deplase limit fwontyè doulè lanmou,
Men mwen trouve m' bride nan yon pil mòn.

Shielding the Heart

At the foot of Mount St. Rock, I've scraped for love
And fallen from trees. Scraped knees & bruised shoulders.

Merely thirteen, I had fallen for a fifteen year old:
Long black tresses, blue cotton sleeveless robe,

Striking purple gum, alluring lips & enchanting gaze.
Summer of '79, I became her bearer of cornucopia.

I remember the aroma of fresh sapotilles,
This violet-colored and sappy fruit was forbidden

Until I could contain my desire to consume it
With moderation. It's sticky pulp was affective.

I was taught how to control craving, so desires
Will not master the will. Enslaved by gratification.

Besides the ring-shaped groove on the annular,
Avowed lovers have sieved through vital arteries.

Limbs do not rush me. I must not teeter on this terrain,
Only ravines and ditches would welcome my fall.

I wish my feet could gently tread on soft rolling grass
To fanning Ferns and Comfrey to cleanse bad blood.

I've tried moving beyond the boundaries of a broken heart,
But I'm contained in a constrictive mountain range.

Pa prese m'! M'ap kite kè m' nan tourèl
Solitid pye sapen-zepengle, kote menm toutrèl

Papka prete m' vwa pou m' woukoule tandrès.
Nan maten brimifyan, m'ap akokiye pou m' rechofe m'.

Oh! Pa twò lwen fwontyè kè kase a, mwen tande
Eksitasyon jasri pèwokè k'ap ravitaye nan grenn palmis.

Kè m' pap bouje nan fant tourèl sapen sa a
Jiskaske m' kapab absòbe tandans sismik lanmou.

Tr. 15 novanm 2004

Do not hurry me! I will keep my heart in the silence
Of this prickly pine turret where even turtle doves'

Love songs will not incite my desire to coo.
In the misty mornings, I will enclose myself for warmth.

Oh! Just beyond that boundary of a broken heart, I hear
The exciting chatter of parakeets feeding on palm seeds.

My heart must remain in the cleft of the pine turret
Until I can absorb the seismic tendencies of love.

April 9, 2004

Kalibrasyon

Kè ou, yon rezèvwa memwa, kalibre erè
Epi rettann moman favorab pou l' devide
Rèv demanbre.

Mwen kouche an kan pou m' suiv lè k'ap mache
Pandan esoufleman ou brile dèyè kou m'.
Konfyans vyole tounen zenglen.

Trayizon ranpli yon chato memwa
Ki relye ak yon pon-kapotab anflame.
Li preferab nou rete sou pwòp riv nou.

Kabann nou kouvri ble vèlvè, tranpe
Ak syè akoz koupelasyon abityèl
K'ap rapidman tounen atòm rayisman.

Tan ak lòt enterè kòmanse gate
Feromòn aktif nou,
Kounyen an nou tounnen pafen dezagreyab.

Lè nou tèt-a-tèt
San pa gen manje-dan,
Nou te tankou toutrèl.

Kè ou, yon rezèvwa memwa, kalibre erè
Konfyans vyole se pikèt sou pon miwo-miba n',
Li miyò pou nou rete sou pwòp riv nou.

Septanm 2004

Calibration

Your unforgiving heart calibrates errors
Waiting for opportune moments to flush
Dismembered dreams.

I lay sideways watching the passing of hours
As your heavy breathing singes my nape,
Feeling the shards of your trust.

Betrayal fills a castle of memory
That carries a drawbridge of flame.
It is best to remain on our own shores!

Our blue velvet covered bed is soaked
With sweat from habitual copulation
Now fast becoming atoms of hate.

Time and other interests have spoiled
Our active pheromones,
Now we have disagreeable perfumes.

When we are tongue to cheek
And teeth cease to grind,
We can be best of friends.

But now, your unforgiving heart calibrates errors,
Violated trusts are splinters on our precarious
Drawbridge, it is best to remain on our own shores.

August 25, 2004

Retraksyon

Mwen konnen tanpèt fache ou pral met pye.
Premyèman, bra kwaze ou ki bandisyone
Jandameman sou tete ou.

Dezyèmman, zye mawon-fonse ou vin reyonnen
Kwaze-kontre pou fokalize tankou yon òdonans
Ki chaje pou detwi.

Twazyèmman, nan yon lang kolonyal mo katouch
Nan bouch ou, fòse m' refijye
Nan opwòbasyon m'.

Katriyèmman, ou alaso pa ou jouk
Nan devanti espas mwen, figi m' anrejistre
Anrajman souf ou.

Senkyèmman, lè m' wè tranbleman machwè ou,
Mwen mòde lang mwen pou m' pa
Simayen blam.

Sizyèmman, tèlman estomakasyon sele ou,
Ou tounnen yon ponp, epi ou tenyen zye ou
Tankou yon moun k'ap evite limyè aveglan.

Finalman, nan yon anbrasman timid, nou amòti
Iritasyon n', nou konnen aprè gwo sakaj
Gen yon tanpèt nou pap ka abrite.

Septanm 2004

Retraction

I know your monsoon anger is abutting.
First, by the chain-link arms standing
Guard across your breasts.

Second, your murky-brown eyes becoming
Spherulite, conjoin in focus as if ordered
To search and destroy.

Third, words in a colonial tongue blitzkrieg
Out of your mouth forcing me to bunker
In opprobrium.

Fourth, you assailed your steps so far
Into my parameter, my face registered
Your enflamed breath.

Fifth, seeing the tremor in your lower jaw,
I quickly held back my tongue, canceling
All assignments of blame.

Sixth, disliking the bridling heaving pain,
You suspired and shut your eyelids tight
As if evading a blazing light.

Then, in a timid embrace, we cushioned
Our irritation, knowing beyond the tremors
Lies the monsoon we cannot harbor.

August 18, 2004

Yon pèt dechiran

Pou Patrick

Lè yon lanmourèz briskeman ba ou do,
Deplasman l' tanponnen doulè.
Tan tounen alkòl sou maleng
Memwa vin sakaje an myèt
Epi pran pwochte kèk imaj siwote.
Bridsoukou, figi ou anvayi ak regrè
Akwaksa ou ponpe moral ou
Avèk espwa ke l'ap tounen.
Semèn kapote,
Doulè sifoke, silans pèsiste.
Kanmenm, ou jwenn mwayen renifle
Dènye mouchwa li te mete an.
Ditan, awoma dous pafen an depafini
Mouchwa a tounen yon mouch-nen.
Mwa fin pase, desoulman doulè
Poko ka met pye.
Ou monologe ak foto l',
Petèt danse avè l',
E menm fè l' lanmou.
Tan rete bouch be.
Ou plase foto an sou pektowo ou,
Ou reyalize ou deja ap travèse
Dezyèm ivè depi li vire do l'.
Ou deside mare senti ou
Epi aksepte depa l' kòm yon tanpon.

31 dawout 2004

Stinging Loss

For Patrick

When a lover abruptly walks out
And her parting steps brand deep hurt,
Time becomes alcohol to wounds,
And memory turns into haunting fragments
Projecting honey-glazed images.
Your face inundates with regrets,
Yet you psyched yourself
With the hope of a return.
Weeks collapse
The hurt stings even more
And the ohms of silence grew louder.
Somehow, you still find yourself sniffing
Her last worn scarf.
By then, her sweet perfume
Had withered and the scarf becomes
A nightly handkerchief.
Months gone by and not yet sober
From the hurt, you monologue
With her photograph,
Perhaps dancing with it,
And even making love to it.
Time remains silent.
As you place her photograph on your chest,
You realize you're into the second winter
Since she walked away.
You resolutely brace yourself
And accept her departure as a branding.

August 31, 2004

Doulè lanmou

Pou S.H.

Nan pwofondè solitid lannuit
Ou tounen yon vag lanmè touman
K'ap souflete
Bato-ekzistans mwen.
Depi ou pati,
silans nichifye vi m',
Sèvo m' vin ansent
Ak imaj ou.
Doulè absans ou fòse m'
Deplante ou nan jaden kè m'.
Tankou yon rasin san bout
Ou chouke nan memwa m'.
Depi kèlke mwa
M'ap andire pèdans lanmou
Yon etènèl posesyon fineray.
Chak fwa mwen panse avè ou
Bouch mwen gen gou
Zoranj-si ak luil-fwadmori.
M' anvi vomi ou
Nan konsyans mwen.
Malerezman, pou kounyen an,
Ou kloure ak klou beton
Nan plafon lanmou m'.

Avril 1998

Love's Pain

For S.H.

In the bowel of a solitary night,
You are a scabrous wave
Jolting my existence's boat.
Since your departure,
Silence nested in my life
And my mind gravid
With your image.
The depth of your absence
Depletes me,
Necessitates a direct bypass.
You lingered in my mind
Like an endless synapse,
And for several months,
I've endured
Your absent love
Like a long funeral procession.
Beyond moaning,
At times I've slobbered
Sour orange and emission Scott.
I must disgorge your presence.
Inutile, for now,
You are still hammered
With a mason's nail
On the roof of my affection.

Tr. September 4, 2004

Wonpe

Solitid se yon grenn sèl
Anba lang yon nonm ki grangou.
Chakfwa yon flè fleri,
Foto ou jèmine nan memwa m'.
Ou plante nan jaden nanm mwen.

Pandan twa mwa aprè ou sibitman pati,
M'ap viv nan yon tas kriye, tèt mwen plonbesifye.
M' eseye efase ou, men lanmou ou filange m'
Epi zegwifye solitid nan kè m'.
Mwen toujou ap viv nan yon tas.

Lavi brak, doudou, m' oblije renmen tèt mwen,
Renmen lòt moun, kè sa a pa anpenpan
E flanbwayan tankou lè papiyon te konn vin poze,
Oubyen lè m' te konn reve sou afeksyon etènèl
Ki badijonnen ak mo asowosize pou tafyate nanm mwen.

Lakansyèl lanmou barikade zye m'
Epi ou glise-chape tankou dlo nan plamen
Pou abandone m' nan yon Sahara doulè. Dwòlman,
Nan gagann ou, m' te konn wè yon flè woz lespwa;
Nou te sèmante n'ap boukle pasyon n' ak lanmou.

Devosyon ou tankou pirana. Ou devore tandrès
Ak kay-lorye nou t'ap bati. Ou kite blese tankou yon sèf
Arebò yon wout pwovens. Lang mwen tounen pansman m'.
Lanmou se yon kalfou plezi ak doulè; m' sipoze chape
Nanm mwen anvan votou solitid devore m'.

Dawout 1999

Rupture

Loneliness is a grain of salt
Underneath a hungry man's tongue.
And each time a flower blossoms,
Your picture germinates in my memory.
You are in the garden of my soul.

For three months after your abrupt migration,
I've lived in a cup of tears with my plumbiferous head.
I've tried barricading my eyes, but
Your burnt love has winnowed loneliness
In my heart and I continue to live in a cup.

Life is bittersweet, and amour, I must go on
Loving myself, loving another, but this heart is
No longer as buoyant and flirtatious as when butterflies
Used to nest, nor is it dreaming of eternal love
And fervent words that intoxicate my soul.

Love's rainbow blindfolded me,
And you slipped away like water in the palm
Leaving me in a Sahara of pain. How strange,
Behind your tongue I used to see a red rose of hope;
We vowed to fasten each other's passion with our love.

Your Piranha-like devotion consumed our once bracing touches
And the house of laurels we were erecting. You left me wounded
Like a deer on a provincial roadside, licking myself to cure.
Love is a crossroads of joy and pain and I must escape this state
Of being before the vulture of loneliness devours me.

Ekzil lanmou

Sèvo m' pa janm gen ratman ide,
Men mwen chita pandan lontan ap tann mo,
Kòmsi gen mesaj selès nan yon kòsmòs kreyatif
Ki pral desann ak kouran powetik pou rechaje
Batri atistik mwen nan transfòme imaj tyake
Nan yon inivè konpak manbre ak mo byen bwode.

M' pase yon lane san yon tak mo pa vide.
Bloke anba mòn akademik, epi flèch
Valanten pike m'. Afeksyon devide venn mwen.
M' tounen yon pelikan k'ap travese dlo
Pou l'al beke jwenn trezò lanmou kachotri ou.
M' repran vòl ak men vid, se sèlman memwa ou
Ki epapiye nan kwen kadinal sèvo m'.

Deja gen nèf mwa depi ou tanpètman vire do ou,
Kounyen m' kapab apresye sant losyon vaniy,
San perèz pou zye m' pa inonde. Mo rekòmanse
Jwenm plas metrikal yo; tout ide tyake ap travèse
Serebralite pou y'al enprime emosyon sou papye.
Avèk tèt poze, m' retounen sou latè nan mitan powèt
Lanmou deja chode. Aprezan y'ap eseye depouye
Tèt yo ak lespas kòsmik.

Oktòb 1998

Love's Exile

My mind is never empty of thoughts,
But I've sat for hours waiting for words,
As if celestial messengers from a creative cosmos
Would descend with poetic current to replenish
Artistic cells by transforming fragmented images
Into a compact universe of elegant word-tapestry.

For nearly a year, I've found myself in a creative desert
Stranded under Mount Academe and wounded by
Valentine's arrow. Endearment creeps out of my veins.
I've turned into a pelican, flying over the seas to find
Your island where your timid love is a buried treasure.
I went back home empty handed, just your memory strewn
In the cardinal corners of mind.

Now, nine months after your cyclonic departure,
I can enjoy the aroma of vanilla-scented-lotion
Without worrying about flooding my eyes.
Words are finding their metrical places and
Fragments of thought are transcending anamnesis
To imprint emotion on paper. With a lucid spirit,
I am among terrestrial poets who have been scalded
By love and are trying to unclothe self and the cosmos.

October, 1998

Chèche konsolasyon

Aprè yon kè kase,
Èske gen yon kote pou yon
Figi ki inonde ak kriye
Jwenn konsolasyon?
Si lannuit mwen rete degad,
Èske m' mèt mande syèl lan prete m' yon zetwal?
Ousnon, mwen dwe senpleman ekziste
Nan yon chan kote lanmou ou se yon fantonm?

Lanmou n' te soup e rafine.
Nou te konn briye.
Akoz lavni ou pat byen kore,
Ou bridsoukou chanje devosyon ou,
Epi ouvri zèl ou pou retravèse Atlantik.
Mwen suiv defèyman ak sèchman petal
Pandan m'ap debouya anba angwas
Chire-pit afeksyon ou kontinye wonje.
Mwen pa yon valv mekanik,
Sistèm mwen ponpe san. Ou fofile anndan m';
Yon pati nan ou ap viv nan plazma m'.

Anba yon syèl woujgrena, yon douzèn kanna
Vole anwo larivyè Charles kote nou te premye bo,
Bay kanna manje. Memwa m' brak.
M' oblije evakye batiman tan mach-aryè sa a.
Kè m' pa ka sipòte ale-mennen-vini sa a,
Dousè, tristès.

Seeking Solace

In an afflictive state,
Is there a place
For a tear-drenched face
To find solace?
If my nights are veilleuse,
Should I ask the sky to lend a star?
Or should I simply exist in a realm
Where your love is a ghost?

Notre amour was smooth
And even flaxen, we sparkled.
Due to your delicate future,
You abruptly turned off your devotion
And took the Atlantic back on wings.
I've watched petals fall and whither away
As I struggled through our torn silk split
Purging your affection.
I cannot be a mechanical valve,
My system pumps blood. You flowed through me
And a part of you resides in the plasma.

Crimson sky, a dozen geese flew over
The Charles where we once kissed and fed
The geese. Memory is bittersweet.
I must vacate this time-reversing fleet.
And my heart cannot sustain this constant flit
From joy to grief.

Menmlè m'al bay brasad nan basen jipon,
E menm libere doulè m' nan ekri diferan resi
Epi jete kèt gout kriye. Ou retounen
Tankou yon lawoze. Pèsistan epi anvayisan.
Èske resi sa a ap dènye chansonnèt veye ou
Pipirit fèy-bwa kè m' pral chante?
Oubyen lamantasyon sa a se yon vwa k'ap pratike?

Lanmou se yon asasen an chatpent.
Mwen bezwen jwenn konsolasyon.
Ban m' zèl, m'ap vole vwayaje ak kanna yo
Nan yon zòn kote kè-anranyon ap tann konpayon.

Tr. Avril 2001

Despite past indulgence in a league of embraces,
I liberated my pain through multiple verses
And shed sobering tears. You kept coming
Back like morning dew. Resilient and heavy.
Will this verse be the last parting song
My leaf-like heart will sing?
Or is this grief a voice in training?

Love is a silent assassin.
I want solace. Grant me wings
And I will sojourn with the geese
To a place where solicitous hearts abode.

November 10, 1999

Mo pran ekzil

Mwen sonje dwèt
K'ap glisaye nan cheve
Nwa-satine yon Sri-Lankèn.
Gout pèspirasyon woule
Bò kuis chokolate,
Alantou twou lonbrik
Kote lang sèpantye l', dousman
Pou l' goute episman kò.
Sèlman pilsasyon n' ki dikte
Kadans direksyon n'.

Ant somèy-revèy, yon sonèt dechennen.
Mwen sonje trennen kò m'
Nan pwent kabann lan, epi paresezman
Dekwoke telefòn lan ki t'ap sonnen.
Li te chita tankou yon òneman presyez
Sou tèt yon opalè an bwa. Wouj, pwès.
Pawòl frè m' lan flote sot nan bouch li
Tankou yon nuaj epè, epi filtre
Nan zòrèy mwen ak mo jilèt.
Papa n' mouri kadyak.

Bouch mwen lou tankou plon.
Shermilla anvlope m' tankou yon dra
Epi akokiye m' anba vant li.
Tèt mwen akoste sou tete l',
Li dòdine m' jouk mwen sonje
Bwose cheve papa m'
Epi anbrase l' bònnui.

Tr. 20 nov. 2004

Exile of Words

I remember fingers
Running through dark
Silky Sri Lankan hair.
Perspiration beaded
Along brown thighs,
Around hidden belly button
Where tongue snaked itself, slowly,
Tasting body salt and musk.
Letting our pulses dictate
The cadence of our migration.

Half awake, a loud bell rang.
I remember dragging myself
To the tip of the bed, and lazily
Reaching for the crying phone
That sat on top of a wooden speaker
Like a precious ornament. Red and bulky.
I sensed long white clouds seeping out
From my brother's voice and into my ears.
Our father had died. Heart attack.

My mouth, heavy as lead.
Shermila embraced me like a blanket,
And I curled inside of her.
My head anchored against her breast,
She rocked me until I remember
Brushing my father's hair
And kissing him goodnight.

November 20, 1986

Ou ale

Pou Georges Sylvain (1930-1986)

Powèm sa a se yon boutèy medikaman
Pou yon kè ki blese depi plizyè lalin.

Ni sikoloji ni lojik, yo youn pa janm pote mo
Pou bande yon soufrans ki kale plè nan fon kè.

Non, se pa pou yon fanm maling sa a ap filange
Se pou yon papa lavi elefan toufounen souf li.

56 rekòt kafe sèlman pye-l te pile,
Powèm sa a se yon ma kafe pou amòti dezespwa.

Powèm sa a se yon boutèy mabi pou siwote gou
Fyèl lavi. Wi, nou an pasaj! Men, lavi ta bay degi!

Papa, sa pral fè disètan depi nou pa akolade,
Bwose cheve ou ak yon ti bwòs oval pla-men.

Nan sèt lalin, pitit gason m' pral gen katòzan,
Li pat janm gen chans bèse nan bra ou.

Papa, powèm sa a se yon boutèy medikaman
Pou m' soulaje absans ou. Tanzantan

Ou bondi nan konsyans mwen, pou raple m'
Jan nou te pwòch, pou raple m' ke lanmò

You've Departed

For Georges Sylvain (1930-1986)

This poem is a remedy-filled bottle
For a heart ravaged by many harvest moons.

Neither psychology nor logic has brought
Healing words for a heart encrusted in agony.

It is not for a woman does this wound seep;
But for a father's life, splintered and snuffed.

Only 56 miles on life's road did your feet tread,
And this poem is a bitter coffee absorbing despair,

This poem is molasses to sweeten life's bile taste.
Yes, we're in transit, but an extension was warranted.

It's been seventeen years since we last hugged,
Saw you coif your hair with an oval-palm brush.

In seven moons, my son will be fourteen
And he never knew the warmth of your arms.

Papa, this poem is a remedy-filled bottle
To alleviate your absence. From time to time,

You surged on my conscious, reminding me
How close we were, and restating that death

Se pa yon pòt fèmen sou lavi, men yon griyaj
Kote youn ka sonde lòt san detounen chemen.

Powèm sa a se yon fistibal pou dekwoke
Chagren ki te ret pandye nan nwayo memwa m'

Nou pat gen chans pou n' te di orevwa,
Pou n' te sere youn lòt nan kòtòf lanmou n'.

5 avril 2004

Is not a closed door on life, but a fence
Where one can safely telepath the other.

This poem is a slingshot to unhook
Chagrin that hangs in the core of my memory.

We never had a chance to say goodbye and tightly
Hold each other with the depth of our affection.

Tr. November 20, 2004

Kou lanmou

1

Mwen pa gen boukliye pou kache nidite m',
Nan kay lanmou sa a, kriye pa yon sekrè
Ni pa gen rezon pou m' pale an daki.
Vàn kè m' te fòse fèmen,
Tèlman dega te kòmanse kannale debri
Nan venn mwen pou enfekte mwèl mwen.

2

Yon rega mechanste louvri papòt douvan jou m',
Epi dlo sous kriye m' al vide nan kwen bouch mwen.
Tèt bouch mwen gen gou sale, anvi bo al bwachat.
Yon lòt fwa ankò, yon twoubadou pran chante doulè m'
Pou yon lanmou ki pa doubout, men refize bat ba.

3

Womans dòmi nan gwòt kadyak mwen,
Men gen sèpan k'ap deplòtonnen rayisman l'
Nan tout mwèl tèt mennaj mwen.
Enkwayab jan silans ka toufounen langaj!
Detwa semèn dan-mòde-lang efase mwa
Ki te deplòtonnen nan fè zyedou ak bèl pwomnad.

4

Nou te konn ri jouk anba biskèt nou kòde
Epi kriye kontantman fofile desann sou zo-machwè n'.
Kounyen an, lanmou tounen
Chabon dife anba pla pye,
Piman bouk sou tèt lang.

Coup d'amour

1

I have no shield to hide my nakedness,
In this house of love, my cries are no secret
and there is no need for doublespeak.
My ventricle was swung shut,
As disaster crept into my veins, leaving
A legacy of pain to infect my marrow.

2

I face each dawn with malicious eyes
And tears river-bedding my mouth.
My salty lips have lost their taste for kissing.
Once more, blues anthologized my emotion
For a love that cannot live but refuses to die.

3

Romance sleeps within my heart,
But uncoiling serpents inflamed with hate
Occupy every corner of my lover's skull.
Amazing how silence can choke language
And a few weeks of grinding teeth can suffocate
Months of batting eyelashes and hand held walks.

4

We used to laugh until our rib cages hurt
And tears danced down our cheeks.
Now, our love is hot sand
Underneath bare feet,
Chili peppers on sweet tongues.

5

Aprè detwa move pa,
Sab-mouvan deja ba n' nan kou.
Sonje lè nou te monte mòn *La Grand Piedra*,
Mango dous yo, sapotiy yo
Ak ti bo nan chak kanpo?
Lanmou n' te abiye ak fyète,
Kounyen an li mwazi tankou yon tonbo.
M' pa ta janm kwè boubout mwen
Ta ka si rapid epi dezastradò tankou yon tanpèt.
Nan moman solanèl sa a, m'ap bay doulè bwa long
Pou m' ka pwoteje trezò karès lanmè tropikal mwen.

Tr. 27 nov. 2004

5

With a few missteps,
We are neck deep in quicksand.
Remember the ride to *La Grand Piedra*,
The sweet mangoes, the sapotes
And the kisses in between stops?
Our once proud love becomes
Musty as a funeral home.
I never thought my lover could be
As quick and swift as a storm.
In this lonely hour I will remain secure
From pain to preserve my tropical treasure,
My sea of calenture.

September 1995

Respire lavi

Aprè yon kè kase,
Mwen santi lavi m' ap depafini.
Nan mitan lannuit,
M'al chita bò lanmè
Pou m' respire lavi
Tèlman yon anvi mouri
Anpare vi m' ki poko menm fleri.

Matla somèy mwen tounen yon rivyè tristès
K'ap anglouti espwa aprè yon lanmourèz pati
Pou m' eskive pwa senkant deprim,
Mwen fòse leve gade zetwal k'ap file.

Aprè yon kè kase,
M'evite nwaye nan lapèn.
Lang mwen tounen yon eponj
K'ap souse yon debòdman kriye
Pou chagren pa inonde kè m'.
O! Prens Tan,
Gerisè blesi
Pote yon pansman solèy
Pou refleri fon kè m' ak yon jaden kalen
Kote iwondèl lajwa ka polinize lanmou.

24 avril 1998

Breathe in Life

After an excruciating heart break,
I've felt my life depleting.
In the middle of the night,
I've sought refuge by the sea
To breathe in life.
I've been agonized and coaxed by death's call
And my life has not fully blossomed.

My bed, a river of sorrow,
Engulfs hopes following a lover's egress.
Sensing the weight of depression,
I forced myself to actively stargaze.

After an excruciating heart break,
I avoided drowning in anguish.
My tongue became a sponge,
Sucking up flooded tears.
Prince of time,
Healer of wounds
Grant me a sun-rayed cure
To replenish my heart with a cuddling
Garden, where Streamertail Hummingbirds
Can pollinate a stronger strain of affection.

Tr. Nov. 18, 2004

Blese

M'eseye bat zèl mwen
Pou m' ka vole,
Men akoz yon kòche tranche lanmou
M' tounen yon planche sou yon kabann.
Plafon an se sèl ekran m'.

Nuit aprè nuit,
M' chache fòs pou chape
Yon kabicha, men sant pafen ou
Tounen yon rèl,
Yon rapèl,
M' paka viv san ou.

Absans ou fwete m',
se sèlman kabann nou te pataje a
ki ka sipòte pwa m'.

Tankou yon zwazo ki blese,
M'alonje m' pou m' reve de ou
K'ap retounen avèk yon alize lanmou
Pou m' ka finalman vole
Nan fimaman lavi
Epi rekolore plimaj mwen
Tankou yon lakansyèl piwouli.

24 avril 2003

Wounded

I've tried flapping my wings
To take flight,
But a lover's deep wound
Turned me into a bedded log.
The ceiling became my screen.

Night after night,
I've tried lulling myself
To sleep, but your perfume
Became a dagger,
A reminder,
That without you life is tart.

Your absence singed me.
For now, only our bed once shared
Supports my weight.

Like a wounded bird,
I've splashed in reverie.
Then you return with a storm of love.
We can finally take flight
To life's firmament,
And repaint my plumage
With tropical rainbow colors.

Tr. November 18, 2004

Fil-arenyen matrimonyal

Pou L. G.

Elogan ak yon sèvo koulin-militè
Ou demontre bezwen enperatif ou
Pou bati yon nich an pay kontantman.

Gason gen latranblad lè yo tande maryaj.
M' deja fè parad nan koulwa legliz,
Pou m' bouti makònen nan miray dansere.

Mwen konnen ou ka konprann, tanponnen
De fwa ak bag chode epi yon premye mari tanpèt,
Konfyans tounen sann sou yon teritwa toufounen.

Teritwa pa m', pafwa, se lanmou syklòn twopikal
Ki vizite m'. Emosyon derasine renka pou rekonstri.
Lanmou m' te parametre ak lachte. Laperèz.

Aprè chak syklòn, zye m' tounen yon wobinè chode.
Petrifye, mwen ranmase mòso pridans
Pou ganmèl mwen pa ranpli ak dechè.

Elogan ak yon sèvo koulin-militè, ou dezirab,
Men fil-arenyen matrimonyal gentan, pou kounyen a,
bouche nich mwen. M' tounen yon zwazo refraktè.

16 oktòb 2004

Connubial Cobwebs

For L. G.

Eloquent with an army-knife of a mind
You displayed your imperative desire
To build a nest with straws of happiness.

A male's soles can become glacial when nuptials
Are the ambition. I've been down the aisle
And later grafted to an aggrieved partition.

I know you can understand, branded
By two burning rings and a hurricane husband
Trust becomes ash in a confounded landscape.

My landscape, at times visited by love's tropical
Storms, uprooted emotions and timidity in revival.
My love was parametered by cowardice. Cold feet.

After each storm, my eyes were burning faucets.
Mired, I've gathered pieces of prudence
So my spring will not be filled by remnants.

Eloquent with an army-knife of a mind,
You are desirable, but connubial cobwebs
Have, for now, sealed my nest. I'm a vagrant bird.

October 16, 2004

Yon rido chagren

Pou Alee

Lò kapab etènèl, san melanj, fleksib,
Nonpa pou yon kè teti epi degoutab.
Lanp lajenès anba feblès ap soumèt tèt li
Bay michan van toutotan dezi pa satisfè.
Izolman pral ranpe nan mwèl fatig ou.

Lespwa toufini anba yon ivè-krabinaj:
Kabann vid, po san touche, e yon bous solo
K'ap bourike pou l' ranpli obligasyon marital.
Konbyen tan l'ap pran yon pon pou l' fè fayit
Anba tranbleman ak van mòbid?

Yon rido chagren vwale kòne zye ou,
Pa bliye pon fèt pou travèse.
Se pa yon peche pou ekzile tèt ou,
lè monak jire ou pote wòch pou kraze rèv.
Libète se yon mo nòb.

Kèlkeswa biren oubyen kantite swen,
Gen wòch ki derefize eskilte. Atizanal
Ka toujou reyisi, men se pa ak medyòm sa a.
Gwoutab e redoutab. Pran bwat zouti ou,
Suiv limyè adousi ki lòt bò pon an.

15 oktòb 2004

A Curtain of Grief

For Alec

Gold may be eternal, pure and flexible,
But not a stubborn and loathsome heart.
The lamp of youth will faintly give itself
Over to the battling wind as unmet desires
And loneliness creep into tired arteries.

Hopes decayed by winter-harsh realities:
Empty bed, neglected skin and a solo purse
That laboriously meets espousal obligations.
How long would a bridge take to succumb
Under a seismic and dirgeful wind?

A curtain of grief veils your cornea,
Forgetting that bridges are made for crossing.
It is not a sin to be self-exiled when your vowed
Monarch carries stone-crushing dreams.
Freedom is a noble word.

Regardless of chisels and amount of care given,
Some stones cannot be sculpted. Your art
Can still be crafted, but not with that medium.
Flaky and yet stubborn. Grab your tools
And follow the alleviating light across the bridge.

October 15, 2004

Kite brid lan

Pou Alee

Pandan prentan
Nou rantre klandestinman
Nan yon kay-siwolin
Ak yon abondans lespwa ki makònen
Nan tout sous afeksyon n'.
Filaman aprè filaman,
Nou boujonnen,
Defye brid sentre.
Kwak nou poko lib
Pou n' avantire,
Lyàn nou anpenpan,
Prèt pou kite
Ankèsman
Epi vanse nan pòtay limyè.

15 oktòb 2004

Leaving The Truss

For Alee

We clandestinely entered
The honey-house in spring
With abundant hopes woven
Through our streaming affection.
Fiber by fiber,
We blossomed,
Defying restrictive truss.
Although not yet free
To venture out,
Our healthy vines are ready
To emerge
From encasement
Into portal light.

October 15, 2004

Lanmou ak doulè haiku (aykou)

Pou Lapen Ble

1
Lanmou fè po klè
Zye-lalin briye plezi
Papiyon nan kè.

2
Kè senyen kriye
Lanmou pati chire trip
Pèn vale espwa.

3
Nan plen brim degou
Nou reve lanmè tikwaz
Pou kalme angwas.

4
Depase fwontyè
Move tan, batman zèl ou
Make asirans.

15 oktòb 2004

Love and Pain Haikus

For Blue Rabbit

1
Love gives glow to skin
Moon-eyes sparkling happiness
Hearts flap butterflies.

2
All hearts must bleed tears.
Departing love cuts through core
And gloom swallows hope.

3
Amid mist of grief
We dream of the turquoise sea
To calm love's anguish.

4
Beyond the border
Of bitter time, your flap-wings
Ascribe assurance.

October 15, 2004

Choupèt

Aprè dizan depi nou te kite,
Ou toujou ap pikote memwa m'.
Tanzantan mwen tande vwa ou
K'ap chichote non m'.
Pafwa se sansasyon men ou
Tankou koton k'ap lanbe pwatrin mwen.
Nan bra ou mwen tounen yon kannòt
K'ap pran sekous dodinan.
Ou pote m' ale.
Gen lòt lè nan moman pasyon n'
Mwen wè ou de je fèmen, bouch ouvè
W'ap chevale m' jouk dousè lanmou n'
Fè n' gwonde, woke, esoufle alsiyis.
Aswè a, aprè dizan separasyon
Nou trouve n' sou menm pis-de-dans.
Dènye won n' te sitron-myèl
Depi sou premye pa a, nou repran kadans nou.
Ritm nou toujou an amoni.
Konpa ou danjere.
Aprè dis lane separasyon,
Entèlijans ou satiyèt emosyon m'.
San planifikasyon, san rezistans, youn lemante lòt.
Dezi nou pote n' nan chanm jenès ou.
Yon rivyè imaj anvayi memwa m',
Nou souri tandrès bay lòt.
Avèk souplès nou met lòt tòsni pou n' rejwi
Ansyen tan ak nouvo moman.
Loraj ak zèklè anvi ba nou raj,
Youn mode tèt bouch lòt, lang pensote palèt.

Choupèt

After ten years of rupture,
You still jolt my memory.
At times, I hear your voice
Whispering my name.
At other times, it's your hands
Like cotton lambenting my chest.
In your arms I've been a canoe,
Silently swaying and wafting away.
Sometimes, I reminisce
About our tempestuous moments:
Eyes in reverie, mouth opened in awe,
You galloping me until moaning
With the éclat of our fireworks.
Tonight, after ten years of rupture,
We found each other dancing
Where we last danced. Bittersweet.
After the first steps we were synchronized,
And quickly recalled the danger
Of your rhythm.
After ten years of rupture,
Your wits still arose emotions.
Without forethoughts, nor hesitation
We sauntered to your old room.
There, a river of images inundated me.
I warmly smiled, quieting dormant allures.
Gracefully, we undressed each other
Preparing to recapture old times.
Then, with a sudden rage-like-passion
We nibbled on each other's lips

Nou plonje pou n' fè sifas ak tout lane
Ki pase san lanmou n' pa-t' kontre.
Sanzatann, nan pòtay fanm ou,
Yon tanpèt emosyon deklannche, tèt mwen inonde
M' kriye pou chato lanmou n' nou te kraze.
Kwak pasyon ou toujou epise, m' reyalize
Fanm ekzistans mwen an mouri depi dizan.
Kounyenya, n'ap chape yon lougal lanmou.

16 novanm 1998

And our tongues became our hosts.
With stormy lust, we were capturing lost time.
At the moment of entry, ravaged by uncontrolled
Emotions, I erupted in tears.
Longing for our momentous love.
Crestfallen, I realized my woman is a ghost.
Appetizing you were, but now we're simply
Stealing love in the virtual presence.

Tr. November 16, 2004

Twonpèz

Nan Klib Zazou nou te rankontre,
Aprè kèk won byen ploge, ou voye lanmou ou
Devan pye m' tankou yon frisbi.
Men ou sou ranch, w'ap tann repons.
M' souri ba ou, kòmkwa m'aksepte.

Aprè detwa semèn karès, ou pirate lanmou m'
Kòm gètapan, ou deklare jalouzi se foli.
Kèk mwa pita, m' dekouvri yon simityè
Jalouzi anndan ou. Etensèl move-san eklate
Nan je ou chak fwa yon fanm chichote m'.

Lanmou nou sikonstansyèl, m' pat janm
Te dòmi reve alyans. Nen ou toujou anlè.
Ou pa ni saten, ni koton. M' deja blese nan
Polyestè ak nan gwo ble. Plaka m' twò piti.

Ak kè sansib m' akoste ou, men lanmou m' pou ou
Pat janm sèmante ansanm pou letènite. Se pèsekisyon
Migrasyon ki fè chemen n' vin pi sentre. M' chape
Paske devosyon m' te absan, e lanmou ou te chat-pent.

Aprè ou fin ban m' kout ba, ou tounen yon lesivèz.
Ou savonnen m' pou kache rad sal ou.
Sen-Medizans, bouch boutèy zenglen, m' finalman
Demaske pòtre sen an. Machann salezon an pran lari.

Nov. 1997

Cheater

Fall of '95, we met at Club Zazou.
After a few tantalizing Konpa rounds,
You tossed your love like a frisbee.
Hands on hips, waiting for an answer.
I warmly smiled, my interest apparent on my lips.

Weeks birthed caress, but you pirated my love.
As entrapment, you declared jealousy zany.
Months later, I uncovered a covetous cemetery.
Temper flared and your eyes divulged your hate
Every time the receiver transmitted a woman's voice.

Our circumstantial love did not sanction a finger-
Cuffing ring. No room for pretentious air.
You're neither silk nor cotton. Already blistered
By polyester and dungarees, my closet is selective.

Concerned, I let you anchor, but my assurance
Did not ascribe eternity. It was migratory
Persecution that merged our roads. Absent of
Devotion, I philanthroped. Your love marauded.

Once caught, you became a dime-dropper,
Alerting the world while perfuming your grime.
Saint-Slander, razor mouth, you've been unmasked.
Now you roam the street like a blackleg.

Tr. Nov. 16, 2004

Imprimé au Canada par
Transcontinental Métrolitho